Under the editorship of

JAMES C. BABCOCK *The Ohio State University*

Houghton Mifflin Company
Boston NEW YORK ATLANTA
GENEVA, ILL. DALLAS PALO ALTO

Tres ficciones breves

Donald L. Fabian
MACALESTER COLLEGE

PRINTED IN THE U.S.A.

CONTENTS

PREFACE

This book is intended for use in the second semester of elementary courses in Spanish at the college level. Students should be able to begin it after they have read the first two graded readers in the Houghton Mifflin series of Graded Spanish Readers or their equivalent.

The purpose of the book is to make available to beginning students texts of literary value by important authors and to bridge the distance between the first highly simplified materials that students read and the unsimplified literary works published for the more advanced student. It is my feeling that there is, at present, relatively little material of literary value and interest available for this stage of study and that it is important to provide more to sustain and increase the student's interest in reading Spanish.

The works chosen for this volume, a short adventure novel by Pío Baroja, one of Unamuno's *Tres novelas ejemplares*, and a *leyenda* by Bécquer, meet the test of literary value. The first and last of the three works have been simplified by some omissions and by occasional rewriting and substitutions of difficult vocabulary items. The Unamuno work has been slightly abridged but not otherwise changed. The three have been presented in what I consider to be a progression from the less difficult to the more difficult.

The footnotes accompanying the texts list at first appearance all words and constructions not included in the first three groups of Hayward Keniston's *A Standard List of Spanish Words and Idioms* (D. C. Heath & Co., 1941).

The exercise material is of the kind that I have found most useful in teaching and testing reading and features idiomatic material contained in the texts. There is one innovation: In each set of exercises, one exercise gathers together examples of one particular grammatical construction or feature to provide a thorough presentation and review of that particular point — uses of the imperfect and preterit tenses, Spanish verbs which express the meaning of English *to be*, uses of the reflexive object pronoun *se*, etc. It is hoped that this series of exercises will be helpful in teaching and reviewing grammar at this important stage in a student's learning when he has had his first round of study of grammar and is trying to consolidate his knowledge of the subject.

No exercises of a question and answer sort have been supplied. The reason for this is that experience suggests that teachers wishing to use this kind of exercise really prefer to construct their own. But, it is hoped, sufficient exercise material has been presented to make the book easily usable in most classroom situations.

I wish to acknowledge the courtesy of Don Julio Caro Baroja in permitting me to use the text of Pío Baroja's *El tesoro del holandés* and of Don Fernando de Unamuno in making available the text of *Nada menos que todo un hombre.* I am also indebted to Professor James C. Babcock, editorial adviser to Houghton Mifflin Co. and to Mr. Richard N. Clark, of Houghton Mifflin, for their valuable advice in the preparation of this book.

St. Paul DONALD L. FABIAN

Pío Baroja

(1872-1956)

Baroja, el novelista de la Generación del 98 y uno de los más grandes de la literatura española, nació en San Sebastián, provincias vascongadas. En El árbol de la ciencia *(1911) hizo el retrato del joven intelectual frustrado, inadaptado a una sociedad caracterizada por la inacción, la rutina y la inmoralidad. Otra vena de su ficción, menos pesimista, es la representada por las novelas situadas en su tierra natal del norte de España, como* Zalacaín el aventurero *(1909) y ésta, más modesta,* El tesoro del holandés, *donde se complace el autor en hacer revivir un pasado romántico, pero visto por un ojo lúcido y moderno y descrito en un tono agradablemente irónico.*

El tesoro del holandés[1]

I Dos elementos

Don Eduardo Echeverri, rico dueño de minas de Bilbao,[2] se encontró a los cincuenta años con que su vida no tenía objeto. Ya el dinero llegaba casi automáticamente a su casa, las oficinas[3] marchaban sin dificultad. No tenía hijos ni siquiera sobrinos. ¿ Qué hacer ? — se preguntó. 5

Había acabado la guerra civil.[4] Era necesario comenzar una nueva existencia.

De pronto pensó que podía ser un coleccionista[5] y que esto llenaría sus ocios.[6]

Como era persona inteligente vio con claridad que coleccionar[7] 10 cuadros buenos, estatuas[8] buenas, obras de importancia, era imposible en su tiempo.

Ya comprendía que un hombre de medianos[9] recursos no podía tener una colección en su casa de obras de Rafael, del Ticiano o de Leonardo de Vinci.[10] 15

[1]*holandés* Hollander, Dutchman [2]*Bilbao* large port on the north coast of Spain, in the Basque country, a center of mining and the metals industry [3]*oficina* office [4]*la guerra civil* the second Carlist War (1872–1876), second of two wars between conservative and liberal factions, originating in a dispute over dynastic succession [5]*coleccionista m.* collector [6]*ocios* periods of leisure, idleness [7]*coleccionar* to collect [8]*estatua* statue [9]*mediano* middling, average [10]*Rafael* Rafaello Sanzio (1483–1527), Roman painter; *Ticiano* Titian (1477–1576), Venetian painter; *Leonardo de Vinci* (1452–1519), Florentine painter, sculptor,

Para poseer una mediana colección había que ser multimillonario. Entonces, con su buen sentido, pensó en reunir cuadros que tuvieran alguna relación con el país, con la costa y con la vida de los marinos,[11] sobre todo del Cantábrico,[12] así como[13] libros de 5 varias clases.

Dedujo[14] que la guerra habría lanzado muchas cosas interesantes a la calle y que entraba en sus posibilidades recoger una parte no despreciable[15] de las esparcidas[16] por la región.

Se puso a la obra[17] y pronto tomó verdadera afición a comprar. 10 Naturalmente, como todo coleccionista, se hizo insaciable; y si poseía cinco mil volúmenes, necesitaba diez mil, y cuando ya había logrado este número, veinte mil.

El señor Echeverri se hizo[18] en seguida con el personal que necesitaba para su empresa. A uno de los empleados de su oficina, 15 que era algo curioso y no mostraba ambición ninguna en el campo de los negocios, le reservó para sus adquisiciones.

Este empleado era un buen hombre pacífico y gordo. Se llamaba Juan Pedro Amezolagoyena y Carricaburuaundia, lo que era excesivo para una época en que se empezaba a decir «el tiempo 20 es oro.» Dada la abundancia de sílabas[19] en sus apellidos,[20] las personas conocidas por él, partidarias de la brevedad,[21] le llamaban Juan Amez, y la mayoría de los amigos Juanito Amez.

Amez, que era un buen hombre, fue muy útil a su patrón, convertido en coleccionista. Juanito había estudiado en el Seminario 25 de Vitoria cinco años de latín, pero como no tenía vocación[22] de cura lo dejó, se empleó como dependiente[23] de comercio y contrajo[24] matrimonio.

El señor Echeverri tuvo la perspicacia[25] de comprender que a pesar de su aspecto superficial Juan Amez era listo[26] y podía 30 servirle en el papel que le pensaba asignar.

---

architect, writer, engineer, and musician. The three are leading figures in the Renaissance. [11]*marinos* seamen [12]*Cantábrico* Spanish name for the Bay of Biscay [13]*así como* as well as [14]*Dedujo* (pret. of *deducir* to deduce) [15]*despreciable* insignificant [16]*esparcidas* (past part. of *esparcir* to scatter, spread) [17]*ponerse a la obra* to get to work [18]*hacerse* (here) to acquire [19]*sílaba* syllable [20]*apellido* last name (Spanish names in their full form include father's last name and mother's maiden name, in that order.) [21]*brevedad f.* brevity, concision [22]*vocación f.* calling, vocation [23]*dependiente m.* employee, clerk [24]*contrajo* (pret. of *contraer* to contract) [25]*perspicacia* perspicacity, sagacity [26]*listo* clever

Don Eduardo Echeverri propuso a Juanito Amez un cambio de trabajo que Amez aceptó con gusto, y desde entonces su empleado estaba constantemente yendo y viniendo a los pequeños pueblos de la provincia y luego a Madrid, a Barcelona e incluso a[27] París, lo que le agradaba bastante más que ir a la oficina de Bilbao. 5

Con sus conocimientos de latín podía ver qué libros valía la pena de comprar en este idioma[28] y cuáles no. Respecto a las antigüedades[29] no era difícil orientarse.[30]

Juanito era gordo, fuerte, y tenía una cara redonda y roja, y dos ojos claros, alegres y brillantes. 10

El señor Echeverri había dedicado para la busca y captura de libros y cuadros en los alrededores de Bilbao un «hansom-cab» con capota[31] que compró en Inglaterra[32] hacía años y que era seguramente el único que se había visto en el país.

El cochero de este «hansom-cab» era un ex marinero[33] de Portugalete,[34] ya viejo, conserje[35] de un club de Londres[36] durante algún tiempo, y a quien llamaban Rip-Rip, aunque su nombre era Eceizabarrena. 15

Rip-Rip se había britanizado[37] de tal manera que parecía más inglés que español. 20

Le llamaban Rip-Rip porque tenía la costumbre de estar con los ojos medio cerrados y alguno le había comparado a un personaje de un cuento de Washington Irving en que un Rip Van Winkle se pasa veinte años durmiendo y se despierta y se asombra de lo que ve. A Eceizabarrena, por reduplicación y por considerarle más soñoliento[38] que nadie, le llamaron Rip-Rip. 25

Cuando el «hansom-cab» de Echeverri entraba en un pueblo, llevando a Juanito Amez bajo la capota, y a Rip-Rip atrás, guiando, todo el mundo salía a verlos y se quedaba maravillado.[39]

El aire agudo,[40] seco y serio de Rip-Rip, en contraste con la cara roja de Juanito Amez, hacía creer a la gente que aquéllos 30

[27]*e incluso* and even including [28]*idioma m.* language [29]*antigüedad f.* antique [30]*orientarse* to find one's bearings, know one's way about [31]*«hansom-cab» con capota* covered cab, or buggy [32]*Inglaterra* England [33]*marinero* seaman [34]*Portugalete* town on the left bank of the estuary of the river Nervión, between Bilbao and the sea [35]*conserje m.* concierge, caretaker [36]*Londres* London [37]*britanizado* (past part. of *britanizar* to make or become British) [38]*soñoliento* (*soñar*) sleepy, dreamy [39]*maravillado* (past part. of *maravillar* to astonish) [40]*agudo* sharp

no eran dos ciudadanos buscadores de muebles, libros y cuadros, hombres de carne y hueso, sino personajes de una estampa[41] antigua.

Juanito Amez sabía el vascuence[42] muy bien y en los pueblos en donde pocas veces encontraba los objetos principales de su busca compraba relojes antiguos, dibujos[43] raros, bancos y otras muchas cosas. Lo que el señor Echeverri no quería lo ofrecía Amez a prenderos[44] y anticuarios[45] y hacía con ellos buenos negocios.

II *Un tropiezo en el camino*

Un par de años después de la segunda guerra civil, un día de noviembre por la tarde, iban Juanito y Rip-Rip llevando en el «hansom-cab» unos cuantos libros. El día había amanecido oscuro[1] y caía una lluvia[2] fina y persistente.

Marchaban por el camino cuando una de las ruedas[3] del cochecito[4] dio violentamente con[5] una piedra; el vehículo se torció de un lado y se quedó sin poder avanzar.

Rip-Rip, con gran agilidad, saltó al camino; allí tomó de la rienda[6] al caballo, lo desenganchó,[7] e hizo que Juanito, que era un poco pesado, pudiera bajar de su asiento del interior.

Una vez que Juanito se halló en tierra le dijo a Rip-Rip:

—Vamos a buscar una de las casas de por aquí[8] para alojarnos[9] y dejar al caballo y luego sacaremos el coche, que creo que debe tener algo roto.

—Bueno, me parece muy bien.

[41]*estampa* print [42]*vascuence m.* The Basque language, the speech of the people who live in the three Basque provinces, Vizcaya, Guipúzcoa, and Alava, in the north of Spain, centering around Bilbao. This language is unrelated to the Romance languages. Spanish Basques are frequently bilingual, speaking both Basque and Spanish. The lengthy proper names occurring in this chapter, Echeverri, Eceizabarrena, etc., are Basque names. [43]*dibujo* drawing, sketch [44]*prendero* second-hand dealer [45]*anticuario* antiquarian, antique dealer

[1]*oscuro* dark, gloomy [2]*lluvia* rain [3]*rueda* wheel [4]*cochecito* (dim. of *coche*) little coach *or* carriage [5]*dar con* (here) to strike, hit [6]*rienda* rein [7]*desenganchar* to unhitch [8]*de por aquí* nearby, around here [9]*alojarse* to take

Rip-Rip tomó el caballo de las riendas y, sin cuidarse de la lluvia, Juanito Amez y él avanzaron por el camino hasta salir a una carretera[10] desde la que se veía a una distancia de un par de kilómetros el mar y un pequeño pueblo negro, continuado después por un barrio[11] de pescadores.[12] 5

Así fueron acercándose a la aldea.[13] La primera casa que encontraron era una cuadrada[14] y gris,[15] de piedra, con dos pisos.

Como había en la entrada un hombre gordo como una bola, Rip-Rip y Amez se le acercaron y comenzaron a explicarle en vascuence lo que les había ocurrido. A las primeras explicaciones, el 10 gordo dijo que no entendía el vasco.[16]

— ¿ Pero no es usted de aquí ? — le preguntaron.

— No, yo he nacido en Andalucía.[17]

Rip-Rip lo estudió en toda su circunferencia y después le preguntó: 15

— ¿ Usted tiene un carro ?[18]

— Sí.

— ¿ Quiere usted prestárnoslo ?

— No tengo inconveniente.[19]

— Traeremos el coche aquí y si está roto llamaremos al he- 20 rrero.[20]

El hombre bola entró en la cuadra,[21] sacó dos bueyes,[22] muy despacio,[23] los enganchó[24] al carro y poco después él, Rip-Rip y un mozo se marcharon al camino donde había quedado el coche y lo sacaron. 25

Al poco rato,[25] el «hansom-cab» venía sobre el carro, y las gentes que lo veían miraban con cierto asombro, pensando qué sería[26] aquel aparato[27] raro que llegaba así.

Juanito Amez se fue mientras tanto[28] a ver al pueblo, que calculó no tendría más de ochenta o noventa vecinos.[29] 30

---

lodgings, to stay in [10]*carretera* highway [11]*barrio* district, quarter, suburb [12]*pescador m.* fisherman [13]*aldea* village [14]*cuadrado* square [15]*gris* gray [16]*vasco* (here) Basque language [17]*Andalucía* Andalusia, general name for south and southwestern Spain [18]*carro* cart [19]*No tengo inconveniente* I don't mind (assent) [20]*herrero* blacksmith [21]*cuadra* stable [22]*buey m.* ox [23]*despacio* slowly [24]*enganchar* to hitch, harness [25]*Al poco rato* A little while later [26]*qué sería* what could . . . be (the conditional used to express an inference or probability about something in past time) [27]*aparato* apparatus [28]*mientras tanto* meanwhile [29]*vecino*

El pueblo tenía dos barrios separados por una distancia de kilómetro y medio: uno de estos barrios, el antiguo, era agricultor y aristocrático y estaba lejos del mar. El moderno era marinero, pescador, y había intentado[30] en otro tiempo, a juzgar por los 5 restos que le quedaban, ser industrial.

El barrio antiguo tenía algunas casas hermosas de piedra. El moderno del puerto, no tenía más que casas pobres y miserables. Un río pequeño corría casi por en medio del barrio antiguo y al acercarse al mar se ensanchaba[31] y entraba en el estuario[32] donde se 10 hallaba el puerto.

La salida del río y la bahía[33] le interesaban a Juanito porque parecía haber habido[34] por allí una empresa industrial de cierta importancia que sin duda cesó de producir hacía ya mucho tiempo.[35]

Siguiendo la dirección del río, a la izquierda, se levantaban al- 15 gunas casas del pueblo de pescadores y un pequeño puerto.

A la derecha, había unos muelles[36] en ruinas y se podían notar aún fácilmente los restos de un embarcadero.[37]

En la punta[38] de la derecha que miraba al Este se levantaba una antigua torre, que sin duda sirvió en su época para avisar a las 20 lanchas pescadoras la entrada o salida del puerto.

En conjunto[39] la bahía no tenía ningún aire sonriente ni amable. Era un agujero[40] triste y negro. Rodeada de rocas, su carácter era evidentemente siniestro.[41] Si a esto se añadía el aspecto abandonado del pueblo pescador y lo ruinoso[42] de las antiguas instalaciones 25 industriales, la impresión, entonces, no podía ser más penosa y sombría.

Juanito, después de dar un paseo[43] hasta el mar, volvió al barrio viejo y preguntó si no había alguna persona que tuviera libros. Le dijeron que quizás el cura supiese algo de eso.

30 — ¿ Dónde estará ?[44]

(here) inhabitant [30]*intentar* to attempt, try [31]*ensancharse* to widen [32]*estuario* estuary, the part of a river which widens near the sea [33]*bahía* bay [34]*parecía haber habido* there seemed to have been [35]*hacía ya mucho tiempo* a long time before [36]*muelle m.* wharf, jetty [37]*embarcadero* quay [38]*punta* headland, cape, promontory [39]*En conjunto* As a whole [40]*agujero* hole [41]*siniestro* sinister [42]*lo ruinoso* the ruined state [43]*dar un paseo* to take a walk [44]*¿ Dónde estará ?* I wonder where he is, *or*, Where do you suppose he is? (the use of the future to

—Mire usted. Ahí está.

Amez fue a saludar al cura. Este le dijo que no creía que en el pueblo pudiera encontrarse libros ni siquiera de escaso[45] valor.

El cura le preguntó a Juanito qué había ido a hacer a aquel lugar. Amez le explicó lo que a él y a su cochero les había pasado y entonces el sacerdote[46] se le ofreció para acompañarle a casa de Polanco, que era donde al parecer[47] habían parado.

En el camino Amez solicitó del clérigo[48] algunas informaciones. ¿Qué había en la bahía de este pueblo? ¿Alguna fábrica,[49] alguna mina, tal vez?

—Sí, hace ya mucho tiempo—le respondió el cura—hubo una fábrica vieja. Aquí cuentan una historia de un holandés medio brujo[50] que encontró unas minas y tenía un tesoro . . . Yo no he hecho caso de estas fantasías.

Andando, Juanito y el cura llegaron a la casa de Polanco, en la que pararon en un principio[51] él y Rip-Rip, y vieron a éste y al dueño, el hombre-bola, contemplando el cochecito, que tenía el eje[52] completamente torcido y las dos ruedas ya sueltas.

—¿Qué? ¿Qué le pasa al coche?—preguntó Juanito.

—Casi nada—dijo con cierto acento irónico Rip-Rip—, que se ha hecho pedazos.[53]

—¿Y qué hacemos nosotros?

—Lo que a ti te parezca.[54]

—Hombre, yo no soy técnico[55] en estas cuestiones. Así, que venga mañana el herrero, porque ahora no hay luz, y lo vea; si lo puede arreglar bien, que lo arregle; si no, lo metemos todo en el carro hasta la primera estación y lo mandamos a Bilbao.

—¿Se van ustedes a quedar en esta casa?—preguntó el cura.

—No sé si habrá sitio y querrán alojarnos—dijo Amez—; si no lo hay,[56] iremos a la posada.[57]

—Me parece que aquí estarán mejor—replicó el cura—. Yo

---

express conjecture or probability in present time) [45]*escaso* slight [46]*sacerdote* *m.* priest [47]*al parecer* apparently [48]*clérigo* cleric, priest [49]*fábrica* factory [50]*brujo* sorcerer, magician [51]*en un principio* at first [52]*eje* *m.* axle [53]*se ha hecho pedazos* it has been smashed to pieces [54]*Lo que a ti te parezca* Whatever you like [55]*técnico* expert (technician) [56]*si no lo hay* if there isn't any (room, understood) [57]*posada* inn me encargaré de[58] decirle al gordo, el amo de la casa, que los aloje.

Como acababa de decir, el cura habló al gordo: a éste le pareció bien la proposición y Amez y Rip-Rip se encontraron satisfechos de quedarse.

5 En seguida el cura, Amez y Rip-Rip y el gordo pasaron a un cuarto próximo, donde había una mesa y unas cuantas sillas. Tomaron asiento los cuatro, el gordo puso sobre la mesa una botella de sidra y un vaso por boca[59] y se dedicaron a charlar[60] alegremente.

10 El cura dijo de pronto dirigiéndose a Juanito Amez:

— ¿ Sabe usted quién es pariente de ese holandés que hizo las obras en el puerto hace muchísimos años, de quien yo le hablaba a usted ?

— ¿ Quién ?

15 — Pues éste que tiene usted delante:[61] Pachi.

— ¡ Ah ! ¿ Es usted descendiente de él ?

— Sí — afirmó Pachi —, biznieto.[62]

— Ya ve usted — indicó Rip-Rip —, todavía se le podría tomar por holandés, o por belga.[63] Lo que no se le podría tomar es por 20 andaluz.[64]

Pachi se rio. En seguida llamó a su mujer para que llevara a los dos huéspedes a que vieran sus alcobas,[65] que estaban en el segundo piso .

A las siete en punto[66] se presentaron los dos en el comedor de 25 la casa.

Había tres mujeres: la de Pachi, la madre de éste, que tenía sesenta años, y la abuela, de cerca de noventa, nacida en el siglo XVIII. Había dos chicos, hijos de Pachi, el uno de quince y el otro de diez años.

30 La abuela no habló apenas nada ni comió tampoco. La llamaban doña Margarita.

Terminada la cena Pachi les dijo que los de la casa tenían la costumbre de pasar la velada[67] en la cocina, al amor del[68] fuego,

[58]*encargarse de* to undertake, take charge of [59]*un vaso por boca* a glass for each (mouth) [60]*charlar* to chat, converse [61]*que tiene usted delante* whom you have before you, *or* who is in front of you [62]*biznieto* great-grandson [63]*belga m*, Belgian [64]*andaluz m.* Andalusian [65]*alcoba* bedroom [66]*en punto* on the dot, exactly [67]*velada* evening (in a social sense) [68]*al amor de* close to

calentándose[69] los pies. Juanito y Rip-Rip afirmaron que la costumbre les parecía muy buena y muy sabia y que si se añadía un poco de aguardiente[70] la tal costumbre aun les parecía mejor.

La Atanashi, la sobrina, por indicación del patrón, trajo una botella y tres copas[71] de cristal; bebieron los hombres y el patrón aseguró que aquello era un preservativo excelente para el catarro,[72] el reuma[73] y otras enfermedades debilitantes.

Amez, que, como hombre gordo y calvo,[74] era observador, sonriente[75] y humorista, contempló a las mujeres de la casa.

La abuela, con sus noventa años, tenía tipo de alemana[76] con los ojos azules sin expresión. La madre ya parecía un tipo del país y la mujer de Pachi tenía más bien aire castellano.[77] Esta se ocupaba de los chicos mientras la madre dedicaba su atención a la abuela, que aquella noche mostraba el rostro muy sombrío, como si estuviese enferma.

—¿Qué le pasa?—preguntó Juanito a Pachi, refiriéndose a la abuela.

—Padece dolores nerviosos cuando empieza la primavera y también cuando da principio[78] el otoño. Esta noche me parece que va a tenerlos y cuando se queja del dolor le damos un calmante,[79] pero mañana habrá que llamar al médico.

La mujer de Pachi fue a acostar a los chicos y la madre acompañó a la vieja.

Los hombres también se marcharon a sus cuartos. Juanito Amez permaneció algún tiempo sin dormir y oyó los quejidos[80] de la vieja, que, a veces, parecían aullidos[81] de un animal.

Tardó en dormirse.[82] Escuchó el ruido de la lluvia y el viento que llegaba mezclado con los quejidos de la anciana y pensó que no siempre la vida es alegre.

[69]*calentarse* to warm (a part of the body) [70]*aguardiente m.* alcoholic beverage made from grapes, colorless, strong, and usually of indifferent quality [71]*copa* drinking glass [72]*catarro* cold (med.) [73]*reuma m.* rheumatism [74]*calvo* bald [75]*sonriente* smiling [76]*alemana f.* German [77]*castellano* Castilian [78]*dar principio* to begin [79]*calmante m.* sedative [80]*quejido* groan, moan [81]*aullido* howl [82]*dormirse* to go (fall) to sleep

III Juanito se acerca a Mendoz

A la mañana siguiente Juanito Amez se levantó muy temprano y despertó a Rip-Rip.

—No sé qué le habrá ocurrido[1] a la pobre vieja de la casa que ha estado toda la noche en un grito[2] —dijo Amez.

5 —Yo no he oído nada —le contestó Rip-Rip.

—Tú, no. Me lo figuro. Aunque hubiera pasado un regimiento de artillería, no te hubieras despertado.

—¿Y por qué te preocupa[3] tanto la vieja? —preguntó Rip-Rip.

10 —Es que si sigue la enferma mal lo más probable es que no se ocupen[4] de nuestra comida.

—Tienes razón. Eso es cosa seria. Lo que debes hacer es acercarte al pueblo y preguntar qué tal[5] es la posada.

—Bueno, lo haré.

15 Juanito se las arreglaba[6] siempre para dejar los trabajos fastidiosos[7] a Rip-Rip, y congratulándose de ello y burlándose interiormente se despidió de su compañero y fue acercándose a la aldea.

Hacía un día de sol muy alegre.

Al entrar en el pueblo, que se llamaba Mendoz, Juanito se en-
20 contró con un conocido.[8] Era éste un médico, llamado don Fructuoso. El hombre, de unos[9] cuarenta a cincuenta años, de cabeza redonda, muy cano,[10] grueso,[11] redondo, con el bigote[12] corto, anteojos,[13] tenía una tendencia muy marcada por la broma.

—¡Chico, Juanito! ¿Qué haces aquí? —le dijo a Amez.

25 —Pues ayer vinimos un amigo y yo en coche a comprar unas cosas para don Eduardo Echeverri, y se nos estropeó[14] el coche en que veníamos.

[1]*habrá ocurrido* can have happened (future perfect tense expressing conjecture about present perfect time) [2]*ha estado toda la noche en un grito* has been screaming all night long [3]*preocupar* to concern, worry [4]*ocuparse de* to attend to [5]*qué tal* how [6]*se las arreglaba* arranged things [7]*fastidioso* annoying, tiresome [8]*conocido* acquaintance [9]*unos* about [10]*cano* gray (of hair) [11]*grueso* heavy, bulky [12]*bigote m.* mustache [13]*anteojos* eyeglasses [14]*estropearse* to be damaged

— ¿ Entonces vosotros paráis en una casa a la entrada del pueblo, la casa de Polanco ?

— Sí.

— Ahí he estado yo esta noche visitando a una vieja que está enferma y además tiene mucha edad. 5

— ¿ Usted va a comer aquí ? — le preguntó Juanito al médico.

— Sí, con el cura, que es amigo mío.

— ¿ Le importaría a usted que comiésemos nosotros con ustedes ?

— Al revés,[15] hombre; al revés. Encantado.[16] 10

— ¿ Dónde van ustedes a comer ?

— En la taberna del Chipirón.

— ¿ Y dónde está eso ?

— En el puerto.

— Bueno, pues voy a buscar la taberna para que lo tengan todo 15 preparado.

— Muy bien. Hasta luego.

— ¡ Adiós, don Fructuoso !

IV *Mendoz y sus alrededores*

Hay pueblos que se encuentran colocados en lugares sombríos y poco gratos. No invitan a quedarse. Aquél era de ellos. Tenía 20 un aire triste y salvaje.

Esto pensaba Juanito Amez al acercarse a Mendoz.

El barrio del puerto, pequeño, constaba de[1] veinte a treinta casas en fila.[2] Amez preguntó por la taberna del Chipirón y se la mostraron. A Juanito se le había abierto el apetito[3] con el aire de la 25 mañana; entró en la taberna y pidió un par de huevos fritos y unas magras[4] y un café.

Salió de la taberna después de arreglar con Chipirón el «menú»

[15]*Al revés* On the contrary [16]*Encantado.* Delighted.
[1]*constar de* to consist of [2]*fila* row [3]*A Juanito se le había abierto el apetito* Juanito had gotten hungry [4]*magras* slices of ham

de la comida para Rip-Rip y para él. Brillaba una hermosa mañana pura, de cielo claro y limpio.

Juanito, dejando el puerto, se marchó por la playa.[5]

Era todavía ágil y no le asustaba andar seis o siete kilómetros por 5 la mañana si esto contribuía[6] a aumentar el apetito.

Al final de la punta de la derecha, enfrente de[7] una roca que llamaban el Ratón, había restos de una antigua atalaya[8] de piedra muy sólida. Algunos decían que era un fuerte,[9] o una torre que había existido allí hacía tiempo.

10 Al doblar la punta se veía hacia el Este un acantilado[10] negro. Este acantilado, bastante largo y de unos treinta o cuarenta metros de alto,[11] tenía una forma cóncava y a sus pies una estrecha franja[12] de arena.

Había al final de este acantilado rocas negras que tenían figuras 15 un poco fantásticas, a las cuales los pescadores les daban nombres pintorescos, como el Aguila[13] de los Bueyes y la Peña[14] Horadada.[15]

Al borde[16] mismo del acantilado corría un sendero;[17] Juan no se atrevió a acercarse. El mar hacía un ruido espantoso[18] y parecía 20 estar horadando el monte.

Desde aquel punto se veía la bahía de Mendoz como un trozo[19] que hubiesen arrancado violentamente a la tierra, y el río, que marchaba como un hilo de plata por campos verdes a la luz de un sol brillante.

25 Juanito se sentó a descansar y a las doce bajó al pueblo y fue a buscar a Rip-Rip.

[5]*playa* beach [6]*contribuir* to contribute [7]*enfrente de* in front of, opposite [8]*atalaya* lookout *or* watchtower [9]*fuerte m.* fort [10]*acantilado* cliff [11]*de alto* high [12]*franja* fringe, strip [13]*águila* eagle [14]*peña* rock [15]*horadar* to pierce, perforate [16]*borde m.* edge [17]*sendero* path [18]*espantoso* frightful [19]*trozo* piece, fragment

V *En donde se canta alegremente*

Al acercarse Juanito a la casa de Polanco se encontró a Rip-Rip, que estaba en la cocina, dormido al amor del fuego.

Le dijo Juan que había mandado preparar la comida en la taberna del Chipirón y fueron los dos hacia el puerto. Esperaron al médico don Fructuoso y al cura y cuando llegaron entraron los cuatro en un comedor del primer piso, con un balcón que daba al mar.

Hablaron mucho los cuatro de Bilbao, de las fortunas que se hacían en sus minas y de las personas que conocían. A los postres[1] Juanito cantó las canciones del país y del tiempo. Don Fructuoso empezó a hablar de Cuba, donde había pasado varios años antes de la guerra civil. Contó diversas aventuras e historias de amor y después cantó una canción de la isla.

En este momento, se abrió la puerta y entró el Chipirón a llamar a don Fructuoso. Dijo que Pachi el gordo quería hacerle preguntas acerca del estado de la vieja de la casa de Polanco, doña Margarita.

Don Fructuoso dijo:

— Ahora voy.

Tomó su seriedad[2] de médico como quien toma el paraguas[3] y salió con un aire grave.

Juanito, Rip-Rip y el cura continuaron hablando. A la media hora[4] regresó don Fructuoso.

— ¿ Qué le pasa a ese hombre ? — preguntó el cura.

— Una serie[5] de cosas complicadas, referentes al testamento[6] de la abuela; también quiere Pachi saber cuánto durará la enfermedad. De todo ello yo le puedo dar pocas informaciones.

— Es una familia rara ésa de Polanco — observó el cura —. Viven siempre apartados de los demás. ¿ Usted sabe su historia ? Yo he oído hablar algo[7] y resulta fantástico. Dicen de un holandés que vino aquí a explotar[8] una mina y que el holandés guardaba un

[1]*postres m.* dessert [2]*seriedad f.* seriousness [3]*paraguas m.* umbrella [4]*A la media hora* Half an hour later [5]*serie f.* series [6]*testamento* will [7]*Yo he oído hablar algo* I have heard some talk about it [8]*explotar* to work, exploit

tesoro. Yo no hago mucho caso de cuentos; pero me han asegurado que en la playa se han encontrado en repetidas ocasiones pepitas[9] de oro.

— Yo conozco la historia — dijo don Fructuoso —. Me la contó un minero viejo que vivía en Bilbao y que anduvo por estos lugares.

— Pues cuéntela usted.

Rip-Rip aprovechó el momento para decir que él se iba a dormir un poco. Quedó de acuerdo con Juanito para salir a las cinco en un coche e ir hasta la estación más próxima, donde tomarían el tren.

Juanito, que era curioso y aficionado a las historias, se quedó con el cura con objeto de escuchar el relato[10] del médico.

VI *El holandés y el desesperado*

— Aquí, en este pueblo, hace unos cien años — indicó don Fructuoso, comenzando su relato —, hubo un señor rico que se llamaba Avendaño, que se hizo dueño de unas minas de hierro.

Lo primero que hizo fue, como era natural, demarcar[1] las minas, y en seguida formó una sociedad explotadora[2] en Bilbao.

No se reunió mucho dinero, por lo cual los trabajos se hicieron con cierta timidez:[3] es decir, que no se realizaron obras de gran importancia. Se llevó, sin embargo, a cabo[4] lo más esencial.

Se quiso construir un muelle en la parte de la Hendidura y vinieron obreros del pueblo próximo. Esto contribuyó a construir un barrio a la orilla derecha del río, enfrente del barrio viejo de pescadores, de unas veinte o treinta casas.

Estuvo así la explotación durante algunos años llevando una vida lánguida, cuando un día apareció delante del puerto un barco holandés.

Era un barco viejo, negro y con unas velas[5] rojizas,[6] y de él

[9]*pepita* nugget [10]*relato* story

[1]*demarcar* to mark out, limit, stake out [2]*explotador* working, exploiting [3]*timidez f.* timidity [4]*Se llevó . . . a cabo* was completed [5]*vela* sail [6]*rojizo* reddish

partió un bote[7] que desembarcó a un hombre de unos cuarenta años que venía con un saco y un baúl[8] como los que llevan los marinos. También traía a su lado un perro grande y negro.

El hombre dijo que se llamaba Hugo Wan-Hoff. Indicó que unos días más tarde, alrededor de un par de semanas, llegarían su mujer y su hija de Francia, para establecerse con él en el pueblo.

Efectivamente,[9] así como lo había anunciado, se presentaron.

Los amigos de hacer comentarios y averiguar las cosas relacionadas con cuanto sucedía en el pueblo dijeron después que el holandés recién llegado era de Francia y que había pertenecido a una banda de aventureros.[10]

Añadieron los que creían saberlo todo que Hugo Wan-Hoff había estado preso[11] en el Monte de Saint-Michel[12] y que había podido escapar de allí y llegar hasta un puerto de Holanda y salir con su maleta[13] llena de tesoros y arribar[14] a España. La verdad es que lo que hubiera de cierto[15] en esto nadie lo sabía.

Wan-Hoff era hombre alto, fuerte, rojo; su cuerpo impresionaba por su robustez; tenía unas manos grandes con un vello[16] dorado.[17]

Su mujer Berta, de un tipo parecido a él, era alta, rubia, esbelta,[18] enérgica.

La hija se llamaba Margarita y era una muchachita fina con los ojos muy azules, muy transparentes y muy puros y con unas trenzas[19] de oro que le caían sobre la espalda. La muchachita, de una belleza incomparablemente delicada, tenía tipo[20] de una princesa de cuento.

El holandés se mostraba muy seco y muy poco amable con la gente. Tenía una cara agria[21] y sarcástica.

Wan-Hoff comenzó a visitar las minas del pueblo. Se decía él inteligente en cuestiones mineras. Después de pasar tres o cuatro meses recorriendo los montes, sin duda descubrió unos filones[22] nuevos. Se presentó al señor Avendaño, el de la compañía minera,

[7]*bote m.* (small) boat [8]*baúl m.* trunk [9]*Efectivamente* In point of fact [10]*aventurero* adventurer [11]*preso* imprisoned [12]*Monte de Saint-Michel* a mountain off the coast of Normandy, in France, connected to the mainland by a causeway. A fortified abbey originally, it was converted into a political prison during the French Revolution. [13]*maleta* suitcase [14]*arribar* to arrive (especially of ships and sea travel) [15]*de cierto* of fact, *or* truth [16]*vello* down, fuzz [17]*dorado* golden blonde [18]*esbelto* slender [19]*trenza* braid, tress [20]*tener tipo de* to look like [21]*agrio* sour, disagreeable [22]*filón m.* vein, lode

y tuvo una larga conversación con él. Según parece, le convenció de sus proyectos porque la Sociedad le nombró en seguida director de las minas.

Este descubrimiento de los filones de mineral, que generalmente 5 se atribuía a Wan-Hoff, decían algunos que era debido a un marino de Zumaya,[23] que vivió durante algún tiempo en una casa del alto[24] de San Telmo.

El tal marino, que era aventurero por naturaleza y al que llamaban de mote[25] «El Desesperado», había dado varias veces la 10 vuelta[26] al mundo, había visitado y corrido los más extraordinarios países y trabajado en distintas ocasiones en minas de Africa y América.

«El Desesperado» había asistido, según contaban, a muchas batallas con veleros[27] piratas y en una de las refriegas[28] recibió un 15 balazo[29] en una pierna, de tal importancia que el cirujano[30] de su barco tuvo que amputársela inmediatamente.

Desde entonces «El Desesperado» tenía una pata[31] de palo, pero se acostumbró tan bien a ella que andaba con gran agilidad y además afirmaba que era mil veces mejor que la otra, pues jamás 20 le dolía[32] por el reuma.

Al parecer, el mote de «El Desesperado» se lo habían puesto al marino en un barco donde estuvo navegando. Al «Desesperado» no le molestaba su mote, que, por otra parte,[33] le iba[34] muy bien a su aspecto y figura.

25 «El Desesperado» se unió a[35] Wan-Hoff, le tomó gran adhesión,[36] siéndole muy leal, y estuvo en las minas a las órdenes directas del holandés.

El tipo del «Desesperado» era flaco[37] y anguloso, su torso, hercúleo,[38] y la cabeza, pequeña como de águila, con unos ojos pe30 queños y brillantes.

La única pierna que le quedaba era muy musculosa y ágil, así como sus brazos.

[23]*Zumaya* small port on the Spanish Basque coast east of Bilbao [24]*alto* (noun) height [25]*mote m.* nickname [26]*dar la vuelta* to go around [27]*velero* sailing ship [28]*refriega* fray, fight [29]*balazo* bullet wound [30]*cirujano* surgeon [31]*pata* foot, leg [32]*doler* to pain [33]*por otra parte* furthermore [34]*le iba* suited, fitted [35]*unirse a* to join [36]*le tomó gran adhesión* became very devoted to him [37]*flaco* thin [38]*hercúleo* herculean, very strong

Hugo Wan-Hoff, el holandés, se mostró desde el principio como un jefe duro e intransigente. Al que no trabajaba le despedía.

—Lo que es lástima[39] —decía con cinismo[40] bárbaro[41] —es que no se puede emplear con esta gente el látigo.[42]

Bajo la dirección del holandés las minas empezaron a producir más y el puerto se llenó de barcos que iban a Bilbao y hasta a Francia con sus cargamentos de mineral.

—No sé cuánto tiempo —dijo don Fructuoso— duró la prosperidad de las minas, pero debió durar,[43] por lo menos, hasta la invasión francesa de Napoleón.[44]

Por entonces[45] el holandés, que tenía enemigos entre la gente del pueblo, se retiró[46] de las minas y se fue a vivir a la casa de Polanco, que es donde vive hoy Pachi con su mujer, la madre y la abuela.

VII *Hugo Wan-Hoff, su familia y la criada Catalina*

Dándose ya cuenta de que su historia interesaba, don Fructuoso hizo una pausa para servirse otra copa de licor. Luego continuó:

—Debido al trato duro de que el holandés hacía objeto a sus subordinados éstos le guardaron rencor[1] y en esa misma casa de Polanco fue atacado por algunos de sus antiguos[2] obreros, echados por él de las minas.

Estos obreros iban dirigidos por un compañero audaz,[3] que se llamaba Trifón Galerna y que era hijo del atalayero.[4] Iba con él un antiguo capataz[5] a quien daban por nombre el Cartagenero.

Cuando los franceses entraron en Mendoz el general que los

[39]*lástima* a pity, too bad [40]*cinismo* cynicism [41]*bárbaro* barbarous, savage [42]*látigo* whip [43]*durar* to last; *debió durar* it must have lasted [44]Napoleon's forces invaded Spain in 1808; as a consequence of the invasion there followed the War for Independence, which lasted until 1814. [45]*Por entonces* Around that time [46]*retirarse* to withdraw, retire

[1]*guardar rencor* to hold a grudge, bear animosity [2]*antiguo* former (especially when preceding a noun) [3]*audaz* bold, audacious [4]*atalayero* man who serves as lookout or scout [5]*capataz m.* foreman

mandaba llamó al holandés, le sometió[6] a un interrogatorio[7] y le tuvo preso unos cuantos días.

Por entonces corrió la voz[8] de que le iban a fusilar[9] por no se sabe qué clase de fechorías[10] pasadas que en diversas ocasiones había cometido.

En los pueblos próximos hasta se dio el hecho por realizado,[11] asegurándose que el fusilamiento[12] se efectuó y que tiraron al mar el cadáver[13] de Wan-Hoff.

En el caserón[14] de Polanco, cuando se fue a vivir allí el holandés, había un hijo de la casa que estaba estudiando para[15] cura y que comenzó a acompañar constantemente a Margarita, la hija de Wan-Hoff, que por aquellos días contaría unos diez y siete o diez y ocho años y que era realmente bellísima. Esa Margarita es la misma que ahora tiene cerca de noventa años.

Al enterarse el holandés de tales compañías dijo que se vería obligado a marcharse de la casa, pues era peligrosa para él.

La chica, Margarita, no había hablado nunca con ningún joven. El seminarista[16] encontró por entonces que no tenía vocación de cura.

Pensando siempre en irse de la casa de Polanco, como el holandés era hombre de acción, se las arregló para obtener del Ayuntamiento[17] la atalaya de la salida del puerto.

El lado derecho de la bahía, en donde están las antiguas instalaciones industriales, al llegar frente a la Peña del Ratón cambia de rumbo[18] y en vez de ir de Sur a Norte se dirige hacia el Este, formando una curva, y una estrecha playa que llaman la playa de Larria, o de los Muertos, que está dominada por el alto de San Telmo y que termina en la Peña Horadada.

A una altura de veinte o treinta metros sobre el mar se encontraba la atalaya, y junto a ella, la casa del holandés.

La atalaya, construcción de grandes piedras, era un edificio fuerte, podía resistir el embate[19] de los vientos y dominaba el

[6]*someter* to subject, submit [7]*interrogatorio* questioning [8]*voz* (here) word, report, rumor [9]*fusilar* to shoot [10]*fechoría* crime [11]*se dio por realizado* it was considered a fact [12]*fusilamiento* shooting [13]*cadáver* corpse [14]*caserón m.* large house [15]*estudiar para* to study to be *or* become [16]*seminarista m.* theology student [17]*Ayuntamiento* city government [18]*cambiar de rumbo* to change direction [19]*embate m.* fierce attack

pequeño estuario del pueblo y el acantilado hasta la Peña Horadada. Hugo Wan-Hoff reclutó[20] unos obreros y con su ayuda arregló aquello en un mes.

Llevó un perro negro y enorme, digno sucesor del primero que había tenido y que le acompañó en su desembarco; el perro Teufel[21] gruñía,[22] a todo el que se acercaba, de manera amenazadora y su aire respondía perfectamente a su instinto feroz.[23] Una vez la casa arreglada,[24] se llevó Wan-Hoff allí a su mujer y a su hija.

A partir[25] de aquella mudanza empezó para la familia del holandés una vida solitaria. El hombre se mostraba cada vez más sombrío e inquieto porque suponía que le espiaban,[26] y, efectivamente, así era.

Sufría a un tiempo[27] dos espionajes[28] distintos: el del joven Polanco, que se acercaba con objeto de ver a Margarita, y el de Trifón Galerna, que andaba con frecuencia por la atalaya. Este se mostraba siempre con cierto aire de hombre que está en el secreto de algo, a quien quieren engañar aunque no lo consiguen.

Wan-Hoff era hombre descontento del mundo. ¿Qué le había pasado? El no lo contaba pero se veía que creía que había sido perseguido por los hombres y por el destino. Hablaba siempre con ironía y con amargura y repetía frases de la Biblia que en las circunstancias en que las empleaba tomaban aire de terribles sarcasmos.

Se comprendía que era un descontento con un ideal un poco oscuro[29] de soledad[30] y de calma.

El holandés había tomado como criada a una vieja pescadora, viuda de un marinero, que se llamaba Catalina.

Catalina se mostraba muy fiel a su patrón el holandés. Atendía a la mujer y a la hija de éste, sobre todo a Margarita, a la que empezaba a querer mucho.

La Catalina tenía muchas supersticiones que había recogido en su vida. Una vez dijo en serio[31] que no había llegado a ser bruja porque al parecer no tenía facultades para ello. Había quedado en

[20]*reclutar* to recruit [21]*Teufel* (Ger.) Devil [22]*gruñir* to growl [23]*feroz* ferocious [24]*Una vez la casa arreglada* Once the house had been put in order [25]*A partir de* From . . . on [26]*espiar* to spy on [27]*a un tiempo* at the same time [28]*espionaje m.* spying, espionage [29]*oscuro* obscure, unclear [30]*soledad f.* solitude [31]*en serio* seriously, in all seriousness

aprendiza.[32] Sus ideas, que explicaba al holandés, le interesaban mucho a éste.

Wan-Hoff la escuchaba y confirmaba sus afirmaciones, pero no siempre. A veces decía:

5 — Yo no creo más que en el dinero y en la suerte.

Wan-Hoff creía en supersticiones suyas. Pensaba que la naturaleza tenía para él intenciones diferentes que para los demás.

El holandés había estado en relación en Mendoz con un viejo a quien llamaban el Fraile,[33] que aseguraba que él sabía dónde había 10 un tesoro escondido, cerca de la ermita[34] del monte, en Illecu. Esta ermita era la de la Paloma o Nuestra Señora de Usúa, y el lugar supuesto del tesoro, una cueva[35] prehistórica.

El Fraile registró[36] la ermita y la cueva, pero no encontró nada. Wan-Hoff hizo lo mismo. El se figuró que allí había un secreto, 15 pero no pudo comprender cuál era.

El holandés mostró ingenio[37] para arreglar la casa. Se defendía del frío, de la humedad[38] y de la lluvia de varios modos. Cerraba todos los agujeros y a veces tenía que poner sacos de arena[39] debajo de las puertas para que no entrara el agua.

20 De noche cerraba todo muy bien y dormía mecido[40] por el ruido del viento.

Leía la Biblia y recordaba frases que decía burlonamente a la gente.

Mientras tanto, Trifón Galerna y el Cartagenero seguían ron- 25 dando[41] la atalaya. A veces decía el holandés:

— Ese no es hombre para mí. Si es necesario le aplasto[42] como a una cucaracha.[43]

Miguel Polanco ya no aparecía por allí.

[32]*aprendiza f.* apprentice [33]*fraile m.* friar [34]*ermita* hermitage [35]*cueva* cave [36]*registrar* to search [37]*ingenio* cleverness, skill [38]*humedad f.* humidity, dampness [39]*arena* sand [40]*mecer* to swing, rock, lull [41]*rondar* to haunt, prowl around [42]*aplastar* to crush [43]*cucaracha* cockroach

VIII *Los amigos y los enemigos de Wan-Hoff*

Poco tiempo después de instalarse Wan-Hoff con su familia en la atalaya se presentó frente al pueblo un barco negro, con unas velas rojizas.

Se dijo que este barco era holandés.

Wan-Hoff, que sin duda esperaba la llegada del barco, fue a él, 5 y regresó trayendo dos o tres cajas que metió en su casa. A la mañana siguiente el supuesto barco holandés había desaparecido.

La mujer de Wan-Hoff, doña Berta, no se acostumbraba a[1] vivir en la atalaya, y su hija Margarita tampoco. Encontraban aquello húmedo[2] y triste. 10

Entonces Wan-Hoff decidió llevar la familia a vivir al barrio viejo de Mendoz, a una casa antigua, muy lejos del puerto. La casa se llamaba Olaran.

Wan-Hoff, considerándose independiente, se marchaba solo a la atalaya y se pasaba el día en ella y muchas veces la noche. La vieja 15 Catalina y el perro Teufel solían dormir allí.

Trifón Galerna siguió como siempre espiando. El padre de Trifón, en la época en que entraban y salían barcos del puerto, había sido atalayero. Por eso, acaso, tanto el padre como,[3] por tradición, el hijo, se consideraban como con derecho a aquellos 20 lugares y como con algún dominio sobre ellos.

En cuanto vio Trifón que el holandés alquilaba[4] la atalaya se fue inmediatamente a la casa del alto de San Telmo y se constituyó en su observador. El holandés se dio cuenta del espionaje al poco tiempo[5] y se puso, a su vez,[6] a vigilar[7] a Galerna. 25

Wan-Hoff constituía un motivo de constante curiosidad para el pueblo. Recién instalado en la atalaya construyó una segunda chimenea grande por la que se veía salir a menudo[8] un humo negro

[1]*acostumbrarse a* to get used to [2]*húmedo* humid, damp [3]*tanto . . . como* both . . . and [4]*alquilar* to rent [5]*al poco tiempo* in a short time, soon [6]*a su vez* in turn [7]*vigilar* to watch [8]*a menudo* often

y denso. Se decía que había construído la chimenea para fundir[9] la gran cantidad de joyas[10] de oro y plata que poseía.

Alguna vez el holandés había manifestado que tenía proyectos para cuando la guerra contra Napoleón se acabara, y debido a esto 5 suponían los del pueblo que al final de la guerra Wan-Hoff pensaba marcharse de España.

Mientras tanto, la presencia del hijo de Polanco continuaba a disgusto de Wan-Hoff, el cual, sin embargo, no quería tomar ninguna determinación para no molestar a Margarita, a la que quería 10 tiernamente.

Sin embargo, no pasó mucho tiempo sin que sucediera un incidente que puso todavía más en guardia a Wan-Hoff.

El antiguo capataz, el Cartagenero, y Trifón Galerna, que continuaban obsesionados[11] con el supuesto tesoro, una tarde subieron 15 a la atalaya por la parte del mar; llegaron al tejado[12] de la casa, pero viendo que desde allí nada podían ver ni enterarse de cosa alguna descendieron y buscaron la ventana del cuarto que era el horno[13] que había hecho construir[14] el holandés y se asomaron por la reja.[15]

20 El holandés, que tenía la ventana abierta y estaba dentro del cuarto, les advirtió en seguida, y volviéndose rápido hacia ellos, con una pistola en la mano, exclamó con voz dura:

—Si no os quitáis[16] de ahí inmediatamente os mato a tiros.

Trifón y el Cartagenero corrieron fuera del alcance del arma y 25 se descolgaron[17] por las rocas a la playa.

El fracaso[18] de su estúpida aventura avivó[19] el rencor de aquellos dos hombres hacia Wan-Hoff.

[9]*fundir* to melt, melt down [10]*joya* jewelry, jewel [11]*obsesionado* obsessed [12]*tejado* roof [13]*horno* oven, furnace [14]*que había hecho construir* which (the Dutchman) had had made [15]*reja* grating, grille, covering a window [16]*quitarse* to get out [17]*descolgarse* to descend, let oneself down [18]*fracaso* failure [19]*avivar* to quicken, revive

IX *Roberto el corsario*[1]

El holandés se obstinaba[2] en mantenerse siempre en su existencia solitaria. Desde que dejó la dirección de las minas ya iba muy poco al pueblo. Unicamente, algunas veces se acercaba al barrio de pescadores y compraba por sí mismo el pescado,[3] después de examinarlo atentamente y hacérselo pesar[4] con exactitud. 5

Por las tardes, si hacía buen tiempo, se iba por el puente y aguardaba el correo por si[5] recibía carta o periódico de su tierra. Si no daba el paseo entonces se quedaba leyendo.

Wan-Hoff parecía no sólo entendido[6] en cuestiones prácticas sino también en cuestiones literarias, y cuando estaba de buen humor hablaba de Fausto, del joven Werther y de la Dama del Lago.[7] Se veía que conocía a Goethe, a Byron y a Walter Scott. Leía por la noche el Robinson[8] de Defoe y la Biblia. 10

La mujer del holandés, doña Berta, y Margarita, la hija, solían ir de cuando en cuando,[9] si hacía buen tiempo, hasta la atalaya. Pero también ocurría que se pasaban largas temporadas[10] sin asomarse por allí, pues les gustaba más ir por otros parajes[11] o permanecer en su casa del pueblo. 15

Ningún domingo faltaban ambas a la misa mayor,[12] y si había fiesta la muchacha salía con alguna amiga. El hijo de Polanco, que se llamaba Miguel, se unía a ellas, acudían también otras muchachas y mozos y gozaban de la mayor libertad para hablar. 20

Refiriéndose a las relaciones de su hija, el holandés le decía al «Desesperado»:

— Estos amores no durarán mucho. 25

Por entonces llegó un joven pariente del holandés, primo segundo, al parecer, de Margarita, llamado Roberto Castilla. Era un

[1]*corsario* corsair, privateer [2]*obstinarse* to persist [3]*pescado* fish [4]*hacérselo pesar* having it weighed for him [5]*por si* in case [6]*entendido* expert [7]*Fausto, etc.* Faust and Werther, characters in the drama *Faust* and the novel *The Sorrows of Young Werther*, by the German Goethe (1749–1832). *La Dama del Lago* is, of course, "The Lady of the Lake," a poem by Scott (1771–1832). Byron (1788–1824), another English Romantic poet. [8]Robinson Crusoe [9]*de cuando en cuando* from time to time [10]*temporada* period of time [11]*paraje m.* place, spot [12]*misa mayor* high mass

mozo de veintitrés a veinticuatro años. Estaba de teniente[13] en un barco corsario de la marina[14] inglesa y llevaba una carrera brillantísima.

Roberto era hombre que creía en su sino[15] y pensaba que los 5 acontecimientos[16] giraban[17] alrededor de él y de los que tenían relación con su persona.

Hasta el momento todo le había salido bien, y como era inteligente se mostraba amable con las mujeres, fueran[18] éstas jóvenes o viejas, con los niños y con los ancianos. Con los hombres, y sobre 10 todo con los de su edad, si tenían el aire un poco altivo[19] él tomaba un aire de mayor altivez[20] aún, como de quien nunca ha sabido lo que es temer a nadie. Pero en este mismo aire no había ningún gesto abusivo.

El holandés no disimuló su alegría a la llegada del sobrino. Por 15 lo visto[21] tenía para él mucha relación esta circunstancia con su confianza en que las relaciones amorosas de Margarita con Miguel no durarían mucho.

Se le puso a Wan-Hoff la expresión menos taciturna que de ordinario,[22] aunque no podía borrar[23] de sí su aspecto de personaje 20 áspero,[24] que se consideraba como humillado, perseguido, y que tenía motivos para ponerse contra la sociedad.

Roberto era todo lo contrario,[25] en cuanto a carácter y fisonomía,[26] que su tío Hugo; en lugar de la impresión de inquietud que Wan-Hoff producía se manifestaba en el joven marino una 25 confianza serena y el dominio absoluto de sus nervios. Su conversación era siempre simpática y entretenida,[27] contaba sus aventuras con gracia, suprimiendo[28] todos los detalles desagradables. Pasaba sin insistir en sus relatos por los hechos personales de valor que le concernían, lo que, acaso sin él proponérselo, le daba a su actitud 30 y a sus historias mayor interés y atractivo.[29]

Roberto no se parecía a las personas de la familia de Wan-Hoff y tenía una superioridad que le distinguía de las demás personas del

[13]*teniente m.* lieutenant [14]*marina* navy [15]*sino* destiny [16]*acontecimiento* event, happening [17]*girar* to revolve [18]*fueran éstas* whether they were [19]*altivo* proud, haughty [20]*altivez f.* haughtiness [21]*Por lo visto* Apparently, evidently [22]*de ordinario* usual [23]*borrar* remove, erase [24]*áspero* harsh [25]*todo lo contrario* quite the opposite [26]*fisonomía* looks, features [27]*entretenido* entertaining [28]*suprimir* to suppress, omit [29]*atractivo m.* attractiveness, charm

pueblo. Era de pelo negro castaño,[30] con un mechón[31] rebelde que le caía sobre la frente. Sus facciones[32] eran armoniosas y su tez[33] más bien un poco pálida; la mirada era penetrante, a veces fija y dura, pero también sabía mirar con simpatía. Sus dientes muy blancos daban a su risa cautivadora[34] expresión de energía y de fuerza.

Indudablemente a Roberto Castilla le acompañaba el prestigio un poco misterioso de su elegancia, de su juventud y de los largos viajes que había realizado, así como[35] de las numerosas aventuras que había corrido en su constante, o casi constante, navegación.

Roberto era hijo de un español y de una prima hermana[36] de Wan-Hoff. De su familia contaba pocas cosas: en cambio le gustaba relatar aventuras marinas.

Desde el principio el joven teniente causó profunda impresión en su prima Margarita. Aunque la manera del mozo de dirigirse a ella era sencilla, afable, igual que[37] la que tenía con todo el mundo, la muchacha debió juzgarle hombre terrible, atrevido y audaz.

Margarita no se parecía a su padre, ni tampoco a su madre. Era tímida, bondadosa y humilde. Se entusiasmaba[38] fácilmente y tenía cierta tendencia a la melancolía. Su condición de docilidad le hacía acomodarse[39] fácilmente a todo. Lo que no le gustaba era vivir con apuros[40] familiares graves. Ya había conocido de niña el temor y la angustia a causa de la vida misteriosa que llevaba su padre, y lo que deseaba era vegetar aunque fuera en un pueblo tan triste como Mendoz.

Con la llegada de Roberto, Margarita y Miguel Polanco empezaron a dejar de verse. La muchacha comprendió que su padre deseaba que el pariente huésped[41] fuese bien atendido. Por su parte el mozo de la casa de Polanco juzgó también discreto el apartarse de su amiga, pensando tal vez que una actitud impertinente no haría más que empeorar[42] la situación. ¿Qué podía él[43] — se decía — contra un personaje superior, un oficial[44] de la marina

[30]*negro castaño* dark brown [31]*mechón m.* lock [32]*facción f.* facial feature [33]*tez f.* complexion [34]*cautivador* captivating [35]*así como* as well as [36]*prima hermana f.* first cousin [37]*igual que* just like [38]*entusiasmarse* to become enthusiastic [39]*acomodarse* to adjust [40]*apuro* difficulty, problem [41]*huésped m. and f.* guest [42]*empeorar* to make worse [43]*¿ Qué podía él* What could he do [44]*oficial m.* officer

inglesa, con un hermoso uniforme bordado[45] de oro y bien visto del holandés? Confiaba solamente en el recuerdo de Margarita y en que la estancia de Roberto sería breve y éste volvería al barco del que había saltado en mala hora.

Margarita, en los primeros tiempos en que estuvo su primo en Mendoz, le mandó secretamente a Miguel algunas cartas en las que le decía que confiara en su amistad y que comprendiera las circunstancias. Luego, poco a poco, fue dejando de enviarle estas cartas.

Las reacciones que Margarita sentía ante Roberto eran un tanto[46] complejas.[47] Experimentaba en su presencia una mezcla de temor y de admiración. Se confesaba a sí misma que su primo llegaba a fascinarle y sentía perderse su voluntad cuando éste le hablaba.

Ahora, siempre que Margarita salía le acompañaba el marino. En el fondo todas las muchachas del pueblo se enamoraban de Roberto; en secreto cada una envidiaba[48] a Margarita.

Entre las muchachas del pueblo se discutió[49] sobre cómo eran los ojos de Roberto, de qué color. Las unas decían que eran claros y grises, otras que les parecían negros, pero todas los encontraban extraordinarios. Era cierto que tenía un aire trágico.

En alguna conversación estas muchachas llegaron a recordar burlonamente a la hija del holandés sus antiguas relaciones con Miguel, de una manera bastante mal intencionada.[50] Margarita se puso muy colorada, pero se calló, aunque le dolía profundamente la envidia de sus amigas. El que no recogió las alusiones, aunque se dio cuenta de ellas, fue el marino. Como era hombre que confiaba en sí mismo, le importaban poco los demás y no le daban cuidado[51] las atenciones que otros hubieran podido tener antes para su prima.

Quien tomó un gran entusiasmo por Roberto fue «el Desesperado», que lo traducía[52] afirmando con solemnidad de conocedor:

—Es un bravo mozo que tiene mucho que dar que hablar[53] a las gentes de mar.

[45]*bordado* embroidered [46]*un tanto* somewhat [47]*complejo* complicated [48]*envidiar* to envy [49]*discutir* to discuss, argue [50]*mal intencionado* unkind, mean [51]*dar cuidado* to bother, worry [52]*traducir* to translate, express [53]*que tiene mucho que dar que hablar* who has a lot for . . . to talk about

A la mujer de Wan-Hoff también le fue muy simpático el teniente. Desde que llegó parecía doña Berta un poco más alegre. Ella, que era muy reservada, le confió al muchacho algunas de sus penas y afirmó que su marido le preocupaba, pues a ella le parecía un hombre que se iba trastornando[54] más cada día con sus proyectos locos.

X *Roberto y Margarita*

Las gentes del pueblo empezaron ya a preguntarse más seriamente respecto a[1] Margarita.

«¿Es que va a abandonar a Miguel Polanco?»

Cuando la muchacha paseaba con el marino se la veía muy seria, pero subyugada[2] por su palabra y por su aspecto.

Alguna de las indiscretas amigas se atrevió a decirle:

— Bueno, que dejas a Miguel Polanco es ya un hecho.

— Yo no estaba comprometida con[3] él — contestó Margarita.

— ¿Y cuándo te casas con Roberto?

La hija del holandés, que no tenía malicia, respondió:

— Roberto me llevará donde quiera y yo no sabré resistirme a su voluntad, pero yo preferiría quedarme aquí cuando él se vaya.

— ¿Y casarte con Miguel?

— Eso no sé, no sé.

Esta sinceridad le valió[4] a Margarita el que[5] la amiga indiscreta hiciese comentarios malévolos[6] con las demás muchachas celosas[7] y que la criticasen.

— Es una hipócrita — decían —. Todo es fingimiento[8] en ella.

En uno de los paseos que Margarita y Roberto acostumbraban a dar encontraron a unos gitanos[9] que les pidieron limosna.[10] El joven se la dio a una vieja que después de mirar con aire de desdén[11] la moneda,[12] se puso a protestar y también a burlarse de la pareja.[13] Roberto la invitó a que callara y a que se conformase con

[54]*trastornarse* to become deranged

[1]*respecto a* in regard to, about [2]*subyugado* subjugated [3]*comprometida con* engaged to [4]*valió* brought [5]*el que* the (consequence, fact) that [6]*malévolo* unkind [7]*celoso* jealous [8]*fingimiento* pretense, hypocrisy [9]*gitano* gypsy [10]*limosna* alms, a handout [11]*desdén m.* disdain [12]*moneda* coin [13]*pareja* couple

lo que le había dado, que era bastante. Entonces otro de los gitanos, dispuesto a hacer soltar su dinero al marino, sacó una navaja,[14] la abrió con ruido y lanzó algunas frases desafiadoras.[15]

Roberto, en un abrir y cerrar de ojos,[16] saltó sobre el corpulento gitano y le torció de tal modo la mano en que éste tenía el arma que le obligó a tirarla al suelo y a dar un grito de dolor. A los gitanos les entró tal pánico que se dispersaron rápidamente sin pretender ayudar a su compañero.

Roberto, con imperturbable calma, dio con el pie[17] a la navaja en el suelo y le ordenó al hombre, que no se atrevía a moverse y que se apretaba con la otra mano la muñeca[18] dolorida:[19]

—Largo de aquí.[20]

A Roberto se le empezó a mirar como a una persona temible a la que había que tratar con mucha consideración.

Al regreso de sus excursiones Roberto solía pasar la velada con Margarita y doña Berta en la casa de éstas. Iban algunas muchachas amigas y algunas señoras que hacían tertulia[21] a la mujer del holandés. Otras veces se encontraban solos. Los días que ocurría esto, Roberto tocaba el laúd,[22] y cantaba, acompañándose de este instrumento, para distraer a las dos mujeres. Mientras Roberto tocaba y cantaba, Margarita, arrullada[23] por la música, pensaba.

Le parecía que empezaba a sentirse feliz y lo sería completamente si pudiera cambiar el destino de Roberto y convertirle en un ser tranquilo sin ambición aventurera. Su amor a la aventura era lo que la inquietaba[24] en él.

Margarita, poco a poco, había ido sintiendo indiferencia por Miguel, su antiguo pretendiente.[25] Luego, no supo nuevas noticias de Miguel hasta que una de las mismas amigas de siempre se presentó a contarle lo que ocurría.

El hijo de la casa de Polanco, después de andar taciturno una larga temporada, les había dicho a sus padres que tal vez reanudase[26] sus estudios para cura, pues había visto que nada de lo demás le atraía. Pero la madre del muchacho, que era mujer muy inteligente y que adoraba a su hijo, le había instado[27] para que se tomase

[14]*navaja* knife [15]*desafiador -a* challenging, menacing [16]*un abrir y cerrar de ojos* a jiffy, an instant [17]*dar con el pie* to kick [18]*muñeca* wrist [19]*dolorida* painful, sore [20]*Largo de aquí* Get out of here. [21]*hacer tertulia* to gather for conversation, keep company [22]*laúd m.* lute [23]*arrullado* lulled, soothed [24]*inquietar* to trouble, worry [25]*pretendiente m.* suitor [26]*reanudar* to resume [27]*instar* to urge

algún tiempo hasta adoptar definitivamente el partido[28] de irse al seminario, pues a ella le parecía que su vocación, que nunca había sido muy firme para las privaciones que exige el sacerdocio,[29] era entonces, a pesar de lo que creía Miguel, menor que nunca.

De todos modos Margarita le preguntó a su amiga: 5

— ¿ Y tú qué crees que hará ?

— Véte tú a saber[30] — le respondió la muchacha —. Yo creo que ya ha renunciado a ti en vista de[31] lo de Roberto y que terminará cura.

A Margarita no dejó de hacerle algún efecto la noticia, pero 10 acaso se le olvidó pronto la no muy profunda impresión, pues estaba en los momentos en que se hallaba ya completamente dominada por el marino.

Las relaciones entre Margarita y Roberto satisfacían de lleno[32] a Wan-Hoff, que de cuando en cuando invitaba a su sobrino a ir a 15 la atalaya y una vez allí se encerraba con él después de ofrecerle un tabaco dorado que fumaban en unas pipas, y unas copas de vino añejo.[33]

De lo que hablaban Wan-Hoff y su sobrino nadie pudo enterarse nunca. De si se le puso o no en antecedentes[34] del espionaje que 20 sufría por parte de Trifón y el «Cartagenero» es cosa que no se supo tampoco.

Lo que sí es cierto es que por entonces los enemigos de Wan-Hoff hicieron mucho más discreta su vigilancia y no fueron mucho a la atalaya. Por lo visto[35] tenían miedo del joven marino. 25

El holandés, sin embargo, desconfiaba[36] y no dejaba de decírselo al «Desesperado».

— Te digo que ésos maquinan[37] algo. No sé lo que en verdad quieren. Pero si me buscan me van a encontrar.

— Bueno — decía «El Desesperado» —, pero ahora ya no le 30 buscan a usted. No hay que hacer caso. Es gente que no vale la pena.[38]

— Tienes razón.

[28]*adoptar . . . el partido* to make up (his) mind [29]*sacerdocio* priesthood [30]*Véte tú a saber* It's hard to know [31]*en vista de* in view of [32]*de lleno* fully, completely [33]*añejo* old, vintage [34]*poner en antecedentes* to inform [35]*Por lo visto* Apparently, evidently [36]*desconfiar* to be suspicious [37]*maquinar* to plot, be up to [38]*que no vale la pena* worthless

XI *La marcha del marino*

Margarita había perdido un poco la noción del tiempo y seguramente Roberto también. Ambos debieron llegar a creerse que no vivían unas circunstancias transitorias[1] sino que aquellos días de plácido abandono nunca iban a terminarse.

5 La muchacha se iba acostumbrando a la compañía casi constante del marino y sus incertidumbres[2] y temores sobre él ya apenas si[3] la asaltaban[4] de tiempo en tiempo.[5] En el fondo comenzaba a sentirse protegida y amada de una manera que nunca había soñado.

Así iban transcurriendo[6] las semanas para la pareja. La poca 10 gente leída[7] que había en el pueblo los comparaba con Romeo y Julieta, con Pablo y Virginia,[8] o con alguna que otra[9] pareja de amantes célebres.

Transcurrieron los días y las semanas en esta placidez[10] dichosa cuando una tarde se presentó Roberto en Olaran. Traía un aire 15 que desmentía[11] su alegría y su serenidad habituales y disimulaba mal que estaba sombrío y preocupado.

Ella se lo notó y le preguntó qué le pasaba. Roberto le dijo que nada le ocurría.

Transcurrió la velada como todas, pero aunque las dos mujeres 20 estuvieron solas con el teniente, éste no cantó sino que habló e hizo hablar todo el tiempo a Margarita.

Dijo Roberto que realmente la vida del marino es dura y que acaso valiera más un hogar[12] feliz en tierra firme que el más hermoso barco y la más maravillosa de las aventuras.

25 Margarita se le quedó mirando y asintió:[13]

—Eso mismo he creído yo siempre.

Al marcharse aquella noche Roberto parecía un poco indeciso.[14]

—Hasta mañana —dijo por fin a Margarita después de despedirse de doña Berta.

[1]*transitorio* temporary, transitory [2]*incertidumbre f.* uncertainty [3]*apenas si* hardly [4]*asaltar* to assail [5]*de tiempo en tiempo* from time to time, now and then [6]*transcurrir* to go by [7]*leído* literate [8]*Pablo y Virginia* young lovers in the French Romantic novel *Paul et Virginie* (1788) by Bernardin de Saint-Pierre [9]*alguna que otra* some other [10]*placidez f.* calm [11]*desmentir* to belie [12]*hogar m.* home [13]*asentir* to agree [14]*indeciso* undecided

—Hasta mañana, Roberto.

Y se apretaron las manos como siempre.

La muchacha corrió a la ventana para verle marchar. En la esquina de la calle, Margarita vio a su primo detenerse, extraer[15] de su chaqueta[16] un papel que desdobló[17] y leerlo atentamente. 5 Después se guardó Roberto el papel y desapareció en la oscuridad.

Dicen algunos que aquella noche, en vez de irse a su posada, Roberto tomó el camino de la atalaya y que al llegar a la casa del holandés éste le estaba esperando. Aunque se aventuran[18] muchas suposiciones acerca de lo que hablaron, no se ha sabido lo que fue. 10 Lo que se asegura es que al salir el teniente, ya cerca de la madrugada,[19] le aguardaba «El Desesperado» y éste le acompañó hasta la taberna del Chipirón.

A la mañana siguiente, no muy temprano, «El Desesperado» se llegó a casa de Margarita y le dio una carta. 15

—Roberto me dijo anoche que te trajera hoy este papel.

Margarita lo desdobló y leyó poco más o menos lo siguiente:

«He sido llamado con urgencia al servicio de mi barco. No renuncio a ti ni jamás podría renunciar después de haberte conocido. Confío en volver para quedarme aquí para siempre, para que 20 ya no tengamos que separarnos más. Espérame confiada en mi estrella. Adiós.»

A Margarita se le llenaron los ojos de lágrimas y se puso a llorar silenciosamente.

XII *Tiempos sombríos*

Durante la primera semana de ausencia de Roberto, el holandés 25 no salió de la atalaya ni siquiera para ir a ver a su mujer y a su hija, y éstas tampoco acudieron a ver a Wan-Hoff.

En este tiempo se presentó de improviso[1] en Mendoz un muchacho sobrino de la Catalina, que dijo que venía del pueblo de

[15]*extraer* to take out (extract) [16]*chaqueta* jacket [17]*desdoblar* to unfold [18]*aventurarse* to venture, advance [19]*madrugada* early morning (between midnight and sunrise)

[1]*de improviso* unexpectedly

ésta, de Bermeo. Como la vieja no había estado allí desde hacía cuarenta años, no le conocía. Y éste le trasmitió[2] la encomienda[3] que sus padres hacían a la pariente de que le ayudase a darle algún trabajo, si podía.

5 Catalina le pidió a Wan-Hoff que le recibiese en la atalaya y que le tomase como criado. El muchacho se llamaba Tomás, pero por lo que se dijo en Bermeo todos le conocían por «Chirrichu», que quería decir algo como «el Conejito».[4] Según ella, «Chirrichu» era fiel y obediente.

10 Wan-Hoff, después de dudarlo,[5] le dijo a Catalina:

—Que se quede, pero que no estorbe,[6] porque de lo contrario[7] le largo con viento fresco.[8]

La Catalina le indicó al holandés que Margarita se estaba poniendo muy triste, que apenas si probaba bocado[9] y que decía 15 cuatro palabras en todo el día.

El holandés se decidió a bajar al pueblo para ver a su hija. Estuvo cariñoso con ella y con doña Berta, pero no dijo nada nuevo del marino.

—Le han llamado; es de la Escuadra[10] inglesa. No tiene más 20 que obedecer.[11]

Miguel Polanco, al enterarse de que Roberto se había marchado, procuraba pasar de cuando en cuando frente a la casa de su antigua novia. No se atrevía a llamar y preguntar a doña Berta por ella y se conformaba con mirar de paso[12] a las ventanas detrás de cuyos 25 cristales nunca vislumbraba[13] a nadie.

Uno de los domingos, cuando regresaba a su casa, Margarita vio venir hacia ella a Miguel, que se hacía el encontradizo.[14] Miguel la saludó con una sonrisa triste; no acertaba[15] a decirle nada, pero se detuvo; por fin se atrevió a hablarle.

30 —¿Qué tal estás, Margarita?

—Bien. ¿Y tú, Miguel?

—Yo soy el mismo que siempre.

[2]*trasmitir* to transmit, deliver [3]*encomienda* message [4]*el Conejito* (dim. of *conejo*) little rabbit [5]*dudarlo* (here) to hesitate [6]*estorbar* to disturb, be in the way [7]*de lo contrario* otherwise [8]*le largo con viento fresco* I'll kick him out fast [9]*bocado* mouthful [10]*escuadra* fleet, squadron [11]*No tiene más que obedecer.* He can't do anything but obey. [12]*de paso* in passing [13]*vislumbrar* to catch a glimpse of [14]*que se hacía el encontradizo* who pretended just to be passing by [15]*acertar* to succeed in, manage to

Margarita le dijo:

—Me marcho porque me espera mi madre, que tiene que venir luego a la misa mayor.

Y se separaron.

Miguel, sin embargo, entró contento en su casa. Empezó a mostrar una cierta alegría en los días siguientes. Su madre, que le venía observando, le preguntó uno de ellos sin dar importancia a su pregunta:

—¿Qué? ¿Has pensado ya si vas o no al Seminario?

Miguel respondió a la buena e inteligente mujer:

—Decididamente, madre, yo creo que usted lleva razón, que no tengo vocación para cura.

XIII *Más tarde*

Llegó la época de la vuelta de Fernando VII y de la reacción.[1] El holandés, por lo que se dijo, estaba pensando por entonces en marcharse del pueblo. Veía la situación mal. «El Cartagenero» y Trifón Galerna volvieron a manifestarle abiertamente su enemistad[2] y le denunciaron como conspirador y como masón. Ello no era más que el pretexto para registrarle la casa de la atalaya. Se la registraron y no encontraron ni papeles, ni tesoros, ni nada.

Wan-Hoff, que conocía la pequeña playa maravillosamente, había hallado a unos quinientos metros de su misma vivienda[3] una hendidura[4] en la roca, bastante profunda y que no había manera de dar con ella.[5]

Sin duda, allí había guardado sus cajas.

A Wan-Hoff le preocupó siempre el espionaje del «Cartagenero» y de Trifón. Estos, que eran vagos[6] por naturaleza y que

[1]In 1814, after the defeat of Napoleon, Ferdinand VII, son of Charles IV, returned to Spain and began to rule. His first act was to declare illegal the liberal constitution which had been drawn up at Cádiz during his absence from the country. This marked the beginning of a struggle between liberal and reactionary groups that lasted much of the century. [2]*enemistad f.* enmity [3]*vivienda* dwelling, house [4]*hendidura* crevice [5]*dar con ella* to find or reach it [6]*vago m.* bum, vagabond

jamás habían hecho gran cosa para ganarse la vida, se hallaban sugestionados[7] por el tesoro del holandés y se habían jurado que no se les escaparía de las manos.

El holandés, mucho más astuto que ellos, seguía las maniobras[8] 5 de los dos hombres y veía cómo, a pesar de los esfuerzos que hacían, no acertaban a dar en el clavo.[9] Wan-Hoff tenía la seguridad de que no descubrirían su escondrijo.[10]

El instinto del peligro pareció agrupar[11] en aquellos momentos alrededor del holandés a sus incondicionales enemigos y servi- 10 dores: al «Desesperado», a «Chirrichu» y a la Catalina, que se pasaba todo el tiempo en la atalaya y que dejaba el trabajo de la casa de su señora doña Berta a otra chica que su ama había tomado.

Catalina obedecía con fervor supersticioso a Wan-Hoff y se había aumentado en ella la vocación por las cosas de brujería.[12] El 15 holandés mandaba a la vieja como un déspota.

El «Cartagenero» y Trifón estrechaban cada vez más su espionaje y podía decirse que ya no les importaba desencadenar[13] en cualquier momento la batalla. Querían el tesoro del holandés a toda costa.

20 De cuando en cuando Wan-Hoff decía a sus amigos en tono de advertencia:

—Hay que vivir prevenido.[14]

El holandés, cuyo carácter se mostraba muy variable por aquellos días, no siempre era duro con Catalina, sino que, a veces, 25 le contaba mil historias y fantasías que la fascinaban. Así se creía ella en el secreto de todo lo que había hecho Wan-Hoff por el mundo. Cuando el amo le mandaba tener el horno encendido, sin dejarlo apagar, ella cumplía la orden ciegamente, aunque le costara permanecer en vela[15] toda la noche.

30 La manera despótica de ser tratada por el holandés la empleaba a su vez Catalina con su sobrino «Chirrichu», al que había trasmitido su admiración por Wan-Hoff.

—«Chirrichu» —le decía—. El amo me encarga que mantengamos el fuego del horno hasta que él venga. Hoy no se duerme.

[7]*sugestionado* under the spell of [8]*maniobra* maneuver [9]*dar en el clavo* to hit the mark, be successful [10]*escondrijo* hiding place [11]*agrupar* to group [12]*brujería* witchcraft [13]*desencadenar* (here) to begin [14]*prevenido* on the alert, prepared [15]*permanecer en vela* to stay awake

«Chirrichu», más que extravagante, era algo loco; tenía una figura rara y parecía un conejo albino. De aquí le venía su apodo.[16] Su edad era de unos diez y seis o diez y siete años, pero lo mismo podía tener catorce que diez y nueve, pues era una mezcla de niño grande y de mozo pequeño. Creía en brujas y en fantasmas,[17] trabajaba cuando le daba la gana[18] y cuando no se quedaba hecho un vago.[19] Si el holandés mandaba algo, o su tía le ordenaba invocando a Wan-Hoff en tono autoritario, solía hacer lo que se le decía.

Desde que el holandés le tomó bajo su protección, «Chirrichu» le consideraba como el hombre más admirable de la tierra, y todo cuanto decía el amo le parecía maravilloso. «Chirrichu» y Teufel se hicieron grandes amigos y el chico y el perro eran a cuál más[20] fieles al patrón de la casa.

«El Desesperado», en esta temporada, tampoco se separaba apenas del holandés, y era el que entraba y salía con él constantemente y le acompañaba a todas partes.

Por aquel tiempo el humor del holandés se puso todavía más agrio. No iba casi nunca al pueblo a visitar a su mujer y a su hija y lo que ellas hacían se le antojaba[21] absurdo.

Una visita inesperada[22] vino a hundirle[23] más en su aislamiento.[24]

Una tarde se presentaron doña Berta y Margarita acompañadas de Miguel en la atalaya y le dijeron que su hija y el mozo de Polanco querían que diera su consentimiento para su matrimonio, pues deseaban casarse en seguida.

El holandés se les quedó mirando a los tres fijamente y luego preguntó con un dejo[25] de desprecio:[26]

— ¿ Es cosa decidida ?

Doña Berta intervino:

— A falta sólo de que tú consientas.[27]

Los novios parecían algo turbados, pero doña Berta se hallaba asistida[28] como de una extrema decisión que la hacía mantenerse entera[29] frente a su marido.

[16]*apodo* nickname [17]*fantasma m.* ghost [18]*cuando le daba la gana* when he felt like it [19]*se quedaba hecho un vago* he acted like a bum [20]*eran a cuál más* vied with each other in being [21]*se le antojaba* he fancied, *or* seemed to him [22]*inesperado* unexpected [23]*hundir* to submerge [24]*aislamiento* isolation [25]*dejo* touch [26]*desprecio* scorn [27]*A falta sólo de que tú consientas.* Subject only to your consent. [28]*se hallaba asistida* was inspired [29]*entero* (here) strong

Este vaciló[30] aún algunos segundos y dijo por fin:

—Haced lo que os dé la gana.

Luego les dijo que otro día se verían más despacio,[31] con lo que quería significarles que ya sobraban allí. Y doña Berta y los novios se marcharon.

Cuando se fueron, sin hacer alusión a la visita, Wan-Hoff se puso a hablar a la Catalina de que tenía en sus manos recursos enormes para mover al mundo.

—Yo te explicaré otro día lo que tengo pensado.

Luego añadió, refiriéndose a su hija:

—Estos es mejor que se casen . . . y nos dejen en paz. No tienen más que ideas pequeñas.

Catalina y «Chirrichu» ayudaban a Wan-Hoff en sus trabajos de fundición[32] y después la vieja hacía café y traía una botella de aguardiente. Casi siempre a la misma hora aparecía «El Desesperado», y todos juntos se ponían a beber y a charlar hasta las altas horas de la noche. Acariciaban[33] grandes proyectos. Wan-Hoff, como su hija se casaba y doña Berta se quedaría con ella y con su yerno,[34] pensaba irse a América y llevarles al «Desesperado», a la Catalina, a «Chirrichu» y a Teufel, y una vez allí, en tierra deshabitada,[35] vivirían como reyes.

XIV *Las tormentas[1] del equinoccio[2]*

Las tormentas del equinoccio fueron aquel año terribles. Las mareas[3] llegaban muy altas.

El holandés anduvo con mucha frecuencia por la playa para comprobar[4] que las olas[5] no llegaban hasta el escondrijo en donde él tenía escondido el tesoro. De buena gana[6] lo hubiese retirado[7] de allí y lo hubiera llevado mientras el tiempo de tempestades

[30]*vacilar* to hesitate [31]*más despacio* (here) for a longer time [32]*fundición f.* melting, smelting [33]*acariciar* to caress, entertain [34]*yerno* son-in-law [35]*deshabitado* uninhabited

[1]*tormenta* storm [2]*equinoccio* equinox [3]*marea* tide [4]*comprobar* to ascertain, make sure [5]*ola* wave [6]*De buena gana* Willingly, gladly [7]*hubiese retirado* he would have removed

siguiese en la atalaya, pero el «Cartagenero» y Trifón le espiaban constantemente.

Se mostraba el holandés muy preocupado. Sin duda tenía pensadas y preparadas muchas cosas para salir del paso,[8] pero la impaciencia le consumía.

Una noche de mediados de[9] noviembre, bastante fría, estuvieron hablando mucho rato el holandés y «El Desesperado». De pronto Wan-Hoff se puso sus botas[10] altas y dijo que iba a salir.

El holandés abrió la ventana. Era una noche de luna y se veía muy bien la playa de los Muertos y el acantilado, así como todas las tortuosidades[11] de las rocas. Había una marea fuerte.

Era una noche de falsa calma; la luna parecía ir atravesando las nubes grises con sus rayos claros, y las lanchas en el puerto se balanceaban[12] sobre el agua que parecía de plata.

—¿Quiere usted compañía?—le preguntó «El Desesperado».

—Sí; si quiere usted venir, venga usted.

—No hay inconveniente.

—Que venga también «Chirrichu». Ahora vamos a la playa, a retirar de allí algo que vale.

—Tenemos que ir con precaución—advirtió «El Desesperado».

«Chirrichu» marchaba un poco detrás de ellos, y muy junto a él, como un tremendo bulto[13] negro, Teufel.

Al abrir la ventana, antes de salir de la casa, el holandés había visto a la luz de la luna a Trifón que saltaba de roca en roca. Ya fuera de la casa, cuando avanzaba Wan-Hoff con «El Desesperado», «Chirrichu» y el perro, volvió a distinguirle.

—Dentro de poco—dijo Wan-Hoff—vamos a saber lo que quiere ese hombre.

Empezó a levantarse un viento terrible y comenzaron a formarse en el cielo nubarrones[14] que lo encapotaban.[15] Pero todavía brillaba la luna a ratos al pasar por delante de ella las nubes.

Trifón debió ver a los hombres y al perro que marchaban a su

[8]*salir del paso* to get out of the difficulty [9]*de mediados de* in the middle of [10]*bota* boot [11]*tortuosidad f.* twisting; *pl.* ups and downs [12]*balancearse* to sway, rock [13]*bulto* shape, bulk [14]*nubarrón m.* large, threatening cloud [15]*encapotar* to make, become overcast

encuentro.[16] Sin duda le entró un pánico enorme y echó precipitadamente en dirección al monte. Al poco[17] había desaparecido.

El holandés quería recoger su tesoro y trasladarlo a la casa de la atalaya.

5 Llegaron a las rocas. El holandés guiaba la pequeña comitiva.[18] La Catalina había salido fuera de la construcción de la atalaya y desde allí trataba de divisarles.[19]

Al poco rato aparecieron a lo lejos los bultos de los hombres y el perro. Pudo distinguir a Wan-Hoff, al «Desesperado» y a 10 «Chirrichu» que andaban penosamente.[20] Los hombres iban por las rocas. El holandés marchaba con grandes precauciones para no resbalarse.[21] La luna se ocultó por completo; el viento se hizo aun más fuerte y comenzó a llover. Y la Catalina ya no les siguió viendo. Las ráfagas[22] del vendaval[23] parecía que iban a arrastrar[24] 15 la casa por el aire. El cielo se había puesto todo negro. El mar estallaba[25] contra el acantilado. La Catalina decidió meterse en la casa.

El grupo que guiaba el holandés siguió avanzando hasta acercarse al sitio donde estaba la hendidura en que Wan-Hoff tenía 20 escondido su tesoro. Por fin, salvando los obstáculos que aún quedaban, llegó el grupo al escondrijo. Al poco rato cada uno de los tres hombres salía con una pesada caja cargada al hombro. Evitaron los golpes de agua que pegaban contra las peñas y bajaron los hombres y el perro a la playa para recorrerla. Por la arena 25 caminaban también muy difícilmente bajo el pesado cargamento.

Poco a poco, siempre muy penosamente, el grupo fue acercándose a la casa de la atalaya, que aparecía en lo alto, hasta que se hallaron al pie de la escalera de piedra. «Chirrichu» estaba verdaderamente exhausto.

30 «El Desesperado» le dijo al chico:

—Suelta aquí tu carga y espera con Teufel cuidando de ella.

El holandés subió delante con su caja al hombro. «El Desesperado» le siguió con la suya. Después volvió solo, cargó la que

[16]*a su encuentro* toward him [17]*Al poco* Soon after [18]*comitiva* procession, group [19]*divisar* to descry, perceive, make out [20]*penosamente* painfully, with difficulty [21]*resbalarse* to slip [22]*ráfaga* gust [23]*vendaval m.* strong wind from the sea [24]*arrastrar* to carry off, drag [25]*estallar* to explode, break

había traído «Chirrichu» y comenzó a subir de nuevo. Detrás subían el muchacho y el animal.

Cuando estuvieron en la casa se dedicaron a secarse al fuego que había mantenido la Catalina.

— ¿ Y lo han traído todo ? 5

— Todo está aquí.

Entre los cuatro se bebieron en pocos minutos una botella entera de aguardiente.

El holandés ordenó a Catalina:

— Trae otra. 10

La trajo y no tardaron en apurarla.[26]

Por cada copa que los hombres tomaban, «El Desesperado» le servía dos a la criada, que las tomaba, como ellos hacían, de un trago.[27]

Ante los ojos de la Catalina empezó a oscilar la habitación. 15

De repente comenzó a tutearle[28] a Wan-Hoff:

— Oye, amo. ¿ Me vas a enseñar todo ahora ? Pero todo, ¡ todo ! El oro, la plata, las piedras preciosas que tienes. Aquella vez sólo me enseñaste una parte . . . una parte . . . ahora todo . . . si no, te denuncio. 20

— ¿ Tú me denunciarás ?

— Sí. Porque eres un egoísta.

— Bueno, vamos a bebernos el aguardiente que queda.

— ¿ Están bien cerradas las puertas ?

— Sí. Quiero que me enseñes el oro, la plata, las piedras preciosas. Porque desde ahora voy a mandar yo. 25

Wan-Hoff, con una mirada de cólera,[29] le dijo:

— Te lo enseñaré todo. No tenemos ninguna prisa, tenemos que descansar y después salir. Es preferible dormir un rato, aunque será mejor antes tomar la última ronda.[30] 30

Wan-Hoff sacó una botella de otro color y sirvió a la vieja, al «Desesperado» y se sirvió él. Dejó beber a la vieja e impidió que «El Desesperado» bebiera. El tampoco lo hizo.

La Catalina bebió. Fue a decir algo, tal vez a repetir su demanda,

[26]*apurar* to consume, drain, finish off *or* up [27]*de un trago* in one swallow [28]*tutear* to address in the familiar form, using *tú* [29]*cólera* anger [30]*ronda* round (here, of drinks)

pero cruzó los brazos sobre la tosca[31] mesa redonda de madera que tenía delante, dobló[32] la cabeza y cayó en un sueño profundo.

El holandés dijo al «Desesperado»:

—Voy a descansar un poco, descansa tú también las horas que 5 quedan. A la madrugada traes la lancha y despiertas a «Chirrichu». Yo estaré en pie. —Y luego, mirando irónicamente a la vieja, añadió: —Esta . . . que duerma, ya que a última hora[33] ha demostrado su estupidez[34] y su mala intención.

«El Desesperado» encendió su pipa y estuvo vigilando con su 10 mirada brillante de águila. Luego, como si de repente le hubiera pasado el efecto paralizador del alcohol, hizo varios preparativos. Wan-Hoff anduvo, yendo y viniendo por la casa.

XV *Se marchan*

Al comenzar a amanecer, «El Desesperado» salió de la casa y poco después apareció con una lancha provista[1] de su vela al pie de 15 la escalera de la atalaya. Luego de[2] traerla subió la escalera y despertó a «Chirrichu». El chico se levantó. El holandés estaba despierto y preparado. La vieja Catalina continuaba durmiendo pesadamente.

Entre los dos hombres y el muchacho[3] bajaron las cajas y unos 20 sacos en los que habían ido metiendo comestibles. Apenas se veía aún. Una neblina[4] dominaba el mar. «El Desesperado», en una de las idas y venidas a la lancha, no dejó de acordarse del pequeño arsenal de que disponían y llevó dos escopetas[5] de cañón[6] largo, otra que tenía un cañón corto y parecía muy nueva y una caja 25 alargada[7] de madera que contenía cuatro pistolas.

Terminados los preparativos embarcaron Wan-Hoff, «Chirrichu» y «El Desesperado». A Teufel, que no se había separado de ellos ni un instante, no le dejaron subir en la lancha.

[31]*tosco* rough, crude [32]*doblar* to bend [33]*a última hora* finally, at the last minute [34]*estupidez f.* stupidity

[1]*provisto* (past part. of *proveer* to provide, equip) [2]*Luego de* After [3]*Entre los dos hombres y el muchacho* The two men and the boy together [4]*neblina* mist, fog [5]*escopeta* shotgun [6]*cañón m.* barrel (of a gun) [7]*alargado* long, lengthened

Luego «El Desesperado» desamarró[8] y se puso al timón[9] y la lancha se separó de la atalaya.

Al poco izaron[10] la vela y la lancha se fue alejando hasta convertirse en un punto negro y perderse, después, en el mar.

Cuando ya la lancha había desaparecido, el perro se puso a ladrar[11] y estuvo ladrando mucho tiempo hasta que despertó a la Catalina.

Lo primero que notó la vieja al despertarse fue que tenía flojas[12] las piernas. No se acordaba bien de lo que había sucedido la noche anterior. Poco a poco se fue dando cuenta.

De pronto lo comprendió todo.

Palideció[13] y se le marcaron en su cara mil arrugas[14] más de las que ya tenía. Le entró un ataque de ira, y se puso a gritar:

—¡ Traidores ![15] ¡ Traidores ! ¡ Me dejan sola y se van ! ¡ Canallas ![16]

Wan-Hoff, «El Desesperado» y «Chirrichu» no volvieron. Nunca más se supo de ellos.

La Catalina recordó después que habló al holandés violentamente, que le exigió que le mostrara el tesoro, que le amenazó con denunciarle y le dijo que desde aquel instante iba a mandar ella.

De todos modos no se resignaba a que la hubieran abandonado allí.

Se echó un manto[17] negro por la cabeza y bajó de la atalaya en dirección al pueblo viejo, seguida de Teufel.

La Catalina llamó en la casa de Polanco y dijo que quería ver a doña Berta.

Cuando ésta le preguntó qué ocurría, la Catalina con una sonrisa que era una mueca[18] trágica y con los ojos brillantes todavía por las lágrimas, contó que el holandés y sus compañeros se habían marchado.

Doña Berta escuchó con atención el relato de la vieja, pero sin conmoverse ni alterarse[19] lo más mínimo.[20]

Al ver su actitud le dijo Catalina:

[8]*desamarrar* to unmoor, untie [9]*timón m.* helm, rudder [10]*izar* to hoist, raise [11]*ladrar* to bark [12]*flojo* weak [13]*palidecer* to turn pale [14]*arruga* wrinkle [15]*traidor m.* traitor [16]*canalla m.* scoundrel [17]*manto* large mantilla *or* shawl [18]*mueca* grimace [19]*alterarse* to become upset [20]*lo más mínimo* in the least

—¿ Y usted qué dice ?

—¿ Yo ?

—Sí. ¿ Qué es lo que dice usted ?

—Nada. ¿ Qué quiere usted que le diga ?

5 Tuvo la Catalina un nuevo ataque de ira, producido sin duda por la calma absoluta de la señora. Y no se pudo contener.

—¡ Pero es que se han llevado el tesoro ! ¡ Se han llevado el tesoro ! ¡ Los muy canallas ! ¡ Sin dejar nada !

Con la misma serenidad doña Berta la replicó fríamente:

10 —Si algo se han llevado debía ser suyo. A usted no la debe importar . . . ¡ Ni a mí tampoco !

La Catalina se echó a[21] reír cínicamente, presa[22] de un nuevo ataque nervioso.

—¡ Dice que no le importa ! ¡ Dice que no le importa que su 15 marido se escape ! . . . ¡ Y es su marido !

Y se fue andando torpemente,[23] seguida del perro negro Teufel.

XVI *Final*

Wan-Hoff, «El Desesperado» y «Chirrichu», como se presumía, no volvieron nunca a aparecer por Mendoz. El pueblo supo en seguida la noticia de la fuga[1] de los dos hombres y del mu-20 chacho, pues era una novedad sensacional.

Pasó el tiempo, y aunque algunas gentes decían que el mejor día[2] se presentarían los extraños personajes llegando de cualquier lugar oculto del mundo, el caso es que jamás se supo absolutamente nada de ellos. Al principio, los que no podían dominar su 25 curiosidad preguntaron a doña Berta, que dijo que su marido hacía tiempo había dicho que quería marcharse.

Doña Berta y su hija continuaron su vida normal en compañía de Miguel, el marido de Margarita, y ésta tuvo, poco después del suceso de la huida de su padre, un hijo.

[21]*echarse a* to burst out, begin violently [22]*presa* seized [23]*torpemente* awkwardly, clumsily

[1]*fuga* flight [2]*el mejor día* any day

Si la huida de los dos hombres con el muchacho y las cajas de los tesoros fue sensacional, los comentarios que se hicieron eran tema[3] de todas las conversaciones y no terminaron.

En la descripción del suceso hecha por unos u otros, la habilidad[4] de Trifón y del «Cartagenero» quedaba por el suelo[5] y todo el mundo se burló de ellos y los consideró como unos tontos.

Estos, que continuaban obsesos con la idea de encontrar algo, registraron minuciosamente[6] la playa del acantilado hasta la Peña Horadada. No encontraron nada.

Desesperados ya, pero tenaces,[7] fueron a ver a la Catalina y le pidieron que ella con el perro inspeccionase de nuevo aquellos sitios. Fue la vieja, pero tampoco esto dio resultado. El perro ladró al llegar a algunas hendiduras de las peñas, en las que los ambiciosos miraron con sumo[8] cuidado, mas no hallaron la menor cosa.

La vieja Catalina llegó a adquirir cierta simpatía entre la gente del puerto. En la taberna del Chipirón la consideraban como una mujer que había sido engañada y la solían convidar a beber lo que quisiera.

Un día la vieja fue a despedirse de doña Berta y de Margarita y desapareció con Teufel. Algunos contaron que la criada del holandés se había ido a pedir por los caminos y las aldeas seguida del perro. Hubo también quien aseguró que había vuelto a Bermeo, donde se dijo que la vieron, y que allí no trabajaba pues le pasaban una pensión.

Esto de la pensión quedó siempre muy oscuro, pues nadie podía decir quién le daba el dinero a la vieja. Se supuso que se lo mandaba, desde no se sabía dónde, el holandés.

Se dijo también que un año más tarde, o cosa así, de la huida de los hombres y el muchacho con el tesoro, doña Berta y Margarita fueron llamadas al Banco de Bilbao, que les entregó a cada una sumas de dinero considerables.

Todo quedó en el misterio, lo que hizo que el recuerdo de lo ocurrido se siguiera comentando durante mucho tiempo.

[3]*tema m.* subject [4]*habilidad f.* skill, cleverness [5]*quedar por el suelo* to be ridiculed, held in little esteem [6]*minuciosamente* very carefully [7]*tenaz* (*pl. tenaces*) tenacious, stubborn, persevering [8]*sumo* very great, greatest

XVII *Epílogo*

— Y ésta es la historia — dijo el médico don Fructuoso al cura y a Juanito Amez, que le habían escuchado.

Entonces Juanito y el cura dieron su opinión acerca de la veracidad del relato. ¿ No sería una historia fabulosa ? ¿ No tendría partes inventadas ? ¿ Quién lo podría saber ?

El tipo del holandés le parecía a Juanito un poco de novela antigua. El había leído de chico[1] unos libros de Walter Scott que eran del mismo estilo.

— No, eso no — contestó el cura —. Yo no veo por qué ha de estar inventado ese tipo. Comprendo que un hombre que tenga una gran preocupación por la riqueza sea así, como el holandés. En cambio, tipos como la vieja Catalina, yo creo que no los hay en el país vasco.

— ¿ Cómo que no ?[2] — dijo don Fructuoso —. Yo he conocido una igual que curaba.

— A mí, de chico — replicó Juanito —, por lo que he oído a mi madre, una vieja me sanó[3] pasándome por la rama desgajada[4] de un árbol, la noche de San Juan,[5] para curarme una quebradura.[6]

— Claro — añadió don Fructuoso — que luego a estas viejas la fantasía las rodea de otros poderes y atributos y la gente asegura que vuelan sobre los tejados y que son capaces de hacer bailar solas a las escobas[7] sin que nadie las toque.

— ¿ Y lo del perro negro ?

— El perro negro, amenazador, y que casi echa fuego por los ojos, que acompaña a un tipo misterioso, esto sí que[8] parece que esté inventado — indicó el médico.

— Naturalmente — dijo asintiendo el cura.

— ¿ Y por qué ? — preguntó Juanito.

[1]*de chico* as a boy [2]*¿Cómo que no?* Why not? [3]*sanar* to cure [4]*desgajado* broken off, torn off [5]*la noche de San Juan* the night of June 23, St. John's Eve, a holiday characterized by the preservation of many pagan, magical practices and beliefs [6]*quebradura* fracture [7]*escoba* broom [8]*sí que* indeed

—En muchos pueblos se cuenta eso del perro para asustar a los chicos.

No lograban ponerse de acuerdo[9] en sus opiniones.

Era la hora de marcharse y Juanito Amez y Rip-Rip, que había aparecido después de devorar su ración de sueño, se despidieron del cura y del médico don Fructuoso y subieron al coche . . .

—Adapted from "El tesoro del holandés" by Pío Baroja.

[9]*ponerse de acuerdo* to reach agreement

EJERCICIOS

I–II
(*pages 3–11*)

I. Translate these sentences, paying special attention to the italicized portions of each.

1. No tenía hijos *ni siquiera* sobrinos. 2. Para poseer una mediana colección *había que ser* multimillonario. 3. Entonces, con su buen sentido, *pensó en reunir* cuadros que tuvieran alguna relación con el país. 4. *Se puso a la obra* y pronto *tomó verdadera afición a comprar.* 5. Con sus conocimientos de latín podía ver *qué libros valía la pena de comprar* en este idioma. 6. El señor Echeverri había dedicado para la busca y captura de libros y cuadros . . . un «hansom-cab» con capota *que compró en Inglaterra hacía años.* 7. *Lo que* el señor Echeverri no quería lo ofrecía Amez a prenderos y anticuarios. 8. *Como había* en la entrada un hombre gordo como una bola, Rip-Rip y Amez se le acercaron y comenzaron a explicarle *lo que les había ocurrido.* 9. *No tengo inconveniente.* 10. El moderno del puerto, *no tenía más que* casas pobres y miserables. 11. Juanito, *después de dar un paseo* hasta el mar, volvió al barrio viejo. 12. — Sí, *hace ya mucho tiempo* — le respondió el cura — hubo una fábrica vieja. 13. *Yo no he hecho caso* de estas fantasías. 14. *¿Qué le pasa al coche?* — preguntó Juanito. 15. — ¿Y qué hacemos nosotros? — *Lo que a ti te parezca.* 16. *Como acababa de decir*, el cura habló al gordo.

II. The following idioms appear in the text. Translate them; then use ten of them in Spanish sentences.

1. así como 2. respecto a 3. todo el mundo 4. un par de años 5. un día de noviembre por la tarde 6. al poco rato 7. mientras tanto 8. lejos del mar 9. a la derecha 10. al parecer 11. me parece 12. en seguida 13. de pronto 14. a las siete en punto 15. esta noche

III. Supply the appropriate form of the verb in the imperfect or preterit tense:

1. No (tener) hijos ni siquiera sobrinos. 2. De pronto (encontrar) una salida. 3. Don Eduardo Echeverri (proponer) a Jua-

nito Amez un cambio de trabajo que Amez (aceptar) con gusto. 4. Juanito (ser) gordo, fuerte, y (tener) una cara redonda y roja. 5. Cuando el «hansom-cab» de Echeverri (entrar) en un pueblo, todo el mundo (salir) a verlos. 6. Rip-Rip (tomar) el caballo de las riendas, y Juanito Amez y él (avanzar) por el camino. 7. La primera casa que (encontrar) (ser) una cuadrada y gris, de piedra, con dos pisos. 8. El hombre bola (entrar) en la cuadra, (sacar) dos bueyes, muy despacio, los (enganchar) al carro y poco después él, Rip-Rip y un mozo (marcharse) al camino. 9. El pueblo (tener) dos barrios separados por una distancia de kilómetro y medio. 10. A las siete en punto (presentarse) los dos en el comedor de la casa.

IV. Give the English form of the following Spanish cognates:

1. objeto
2. estatua
3. costa
4. empleado
5. oficina
6. durante
7. ciudadano
8. agilidad
9. coche
10. riendas
11. circunferencia
12. calcular
13. puerto
14. amable
15. satisfecho

III–V
(*pages 12–16*)

I. Translate these sentences, paying special attention to the italicized portions of each.

1. —¿Y por qué *te preocupa tanto* la vieja? 2. *Juanito se las arreglaba siempre* para dejar los trabajos fastidiosos a Rip-Rip. 3. Burlándose interiormente *se despidió de su compañero* y fue acercándose a la aldea. 4. *Hacía un día de sol* muy alegre. 5. *Al entrar en el pueblo*, que se llamaba Mendoz, Juanito se encontró con un conocido. 6. El barrio del puerto, pequeño, *constaba de* veinte a treinta casas en fila. 7. *Juan no se atrevió a* acercarse. 8. Entraron los cuatro en un comedor del primer piso, con *un balcón que daba al mar*. 9. Don Fructuoso empezó a hablar de Cuba, *donde había pasado varios años* antes de la guerra civil. 10. Rip-Rip aprovechó el momento para decir que *él se iba a dormir* un poco.

II. The following idioms appear in the text. Translate them; then use ten of them in Spanish sentences.

1. a la mañana siguiente 2. ha estado toda la noche en un grito 3. me lo figuro 4. lo más probable es 5. tienes razón 6. al revés 7. hasta luego 8. por la mañana 9 al final de 10. enfrente de 11. al amor del fuego 12. hacer preguntas 13. a la media hora 14. yo he oído hablar algo 15. yo no hago mucho caso de cuentos

III. Spanish uses a number of verbs to express aspects of the meaning of the comprehensive English verb *to be*. Among the Spanish verbs are *ser*, *estar*, *tener*, *haber*, and *hacer*. In the following sentences, adapted from the text of these chapters, supply the necessary form of the appropriate Spanish verb.

1. (You are) razón. 2. (It was) un día de sol. 3. Ahí (I have been) yo esta noche visitando a una vieja que (is) enferma y además (is) mucha edad. 4. (There are) pueblos que se encuentran colocados en lugares sombríos y poco gratos. 5. Juanito (was) todavía ágil y no le asustaba andar seis o siete kilómetros por la mañana. 6. Enfrente de una roca que llamaban el Ratón, (there were) restos de una antigua atalaya.

IV. The following Spanish words used in these chapters look like English words; their meanings are not the same as those *apparent* English cognates. Give the meaning of each of the Spanish words.

1. fastidioso 2. cura 3. grato 4. fila 5. restos 6. doblar 7. campo 8. raro 9. relato 10. reunir

V. Retell Chapters I–V in your own words. Try to use the grammar constructions discussed in these chapters and as many of the idioms as possible.

VI–VII

(*pages 16–22*)

I. Translate these sentences, paying special attention to the italicized portions of each.

1. Aquí, en este pueblo, *hace unos cien años*, *hubo* un señor rico *que se llamaba* Avendaño. 2. *Lo primero* que hizo fue demarcar las minas. 3. *No se realizaron* obras de gran importancia. 4. *Se*

llevó, sin embargo, *a cabo lo más esencial.* 5. *La muchachita tenía tipo de* una princesa de cuento. 6. *Según parece*, le convenció de sus proyectos. 7. Desde entonces «El Desesperado» tenía una pata de palo, pero *se acostumbró tan bien a ella* que andaba con gran agilidad. 8. Al «Desesperado» no le molestaba su mote, que, por otra parte, *le iba muy bien a su aspecto y figura.* 9. La única pierna *que le quedaba* era muy musculosa y ágil. 10. *Al que no trabajaba le despedía.* 11. La prosperidad de las minas *debió durar* hasta la invasión francesa. 12. Por entonces *corrió la voz* de que le iban a fusilar. 13. *Al enterarse el holandés* de tales compañías, dijo que *se vería obligado a marcharse.* 14. El holandés *se las arregló* para obtener la atalaya. 15. Esta ermita era *la de* la Paloma o Nuestra Señora de Usúa.

II. The following idioms appear in the text. Translate them; then use ten of them in Spanish sentences.

1. es decir 2. sin embargo 3. alrededor de un par de semanas 4. efectivamente 5. llamar de mote 6. dar la vuelta al mundo 7. por otra parte 8. es lástima 9. por lo menos 10. por entonces 11. darse cuenta de 12. debido a 13. dar por nombre 14. no se sabe qué clase de fechorías 15. en vez de 16. a partir de aquella mudanza 17. a un tiempo 18. sobre todo 19. en serio 20. a veces

III. *Se.* The use of the so-called reflexive pronoun *se* is frequent in Spanish. One of its uses is in fact to express "reflexive action," that is, action done by the subject to himself (*se vistió*, he dressed himself). But *se* appears in a variety of other uses, many of which can hardly be called "reflexive." One of the most common of these uses is to express an action without using an active subject, an action which corresponds to what in English is a passive or an indefinite subject: e.g., *se construyen casas*, translated as "houses are being built." A "literal" translation, such as "houses are building themselves," is not only impossible English, but is actually misleading with respect to the feeling we have when we use the Spanish phrase. The *se* in such sentences really has no "meaning" as an item of vocabulary. It is, rather, a purely grammatical device replacing the missing active subject. Similarly, a very common use of *se* occurs in such sentences as *se dice que es así* "it is said (or they say) that it is so." Note that the *se* is frequently used simply as a sign or indication, without translatable value, to show that a verb is used intransitively. In such a phrase as *se rompió la cuerda*, the *se* merely shows that the verb is intransitive: "the rope broke," while without *se*, *rompí la cuerda*, the verb is transitive: "I broke the rope." Below are reproduced a number of examples of the use of the reflexive pronoun *se* taken from Chapters VI and VII. Study them and translate them into English.

1. No se reunió mucho dinero, por lo cual los trabajos se hicieron con cierta timidez. 2. Se llevó, sin embargo, a cabo lo más esencial. 3. Se quiso construir un muelle en la parte de la Hendidura. 4. El hombre dijo que se llamaba Hugo Wan-Hoff. 5. El holandés se mostraba muy seco y muy poco amable con la gente. 6. Se decía él inteligente en cuestiones mineras. 7. «El Desesperado» se unió a Wan-Hoff. 8. Lo que es lástima es que no se puede emplear con esta gente el látigo. 9. Por entonces el holandés se retiró de las minas y se fue a vivir a la casa de Polanco. 10. En los pueblos próximos hasta se dio el hecho por realizado, asegurándose que el fusilamiento se efectuó. 11. A una altura de veinte o treinta metros sobre el mar se encontraba la atalaya. 12. El no lo contaba pero se veía que creía que había sido perseguido por los hombres y por el destino.

VIII–IX
(*pages 23–29*)

I. Translate these sentences, paying special attention to the italicized portions of each.

1. A la mañana siguiente el supuesto barco holandés *había* desaparecido. 2. La vieja Catalina y el perro Teufel *solían dormir* allí. 3. Trifón Galerna *siguió* como siempre *espiando*. 4. El holandés había manifestado que tenía proyectos *para cuando la guerra contra Napoleón se acabara*. 5. No pasó mucho tiempo *sin que sucediera un incidente* que puso todavía más en guardia a Wan-Hoff. 6. Buscaron la ventana del cuarto que era el horno *que había hecho construir el holandés*. 7. *Si no os quitáis de ahí* inmediatamente os mato a tiros. 8. Ningún domingo *faltaban ambas a la misa mayor*. 9. Estos amores *no durarán mucho*. 10. Hasta el momento *todo le había salido bien*.

11. Confiaba en el recuerdo de Margarita y en que la estancia de Roberto *sería* breve y *éste volvería* al barco del que había saltado en mala hora. 12. Como era hombre *que confiaba en sí mismo, le importaban poco los demás*, y no le daban cuidado *las atenciones que otros hubieran podido tener* antes para su prima. 13. *Quien* tomó un gran entusiasmo por Roberto fue «El Desesperado». 14. Ella afirmó que su marido le preocupaba, pues a ella le parecía *un hombre que se iba trastornando más cada día* con sus proyectos locos. 15. La muchacha comprendió que *su padre deseaba que el pariente huésped fuese bien atendido.*

II. The following idioms appear in the text. Translate them; then use ten of them in Spanish sentences.

1. en cuanto 2. al poco tiempo 3. a su vez 4. ponerse a 5. a menudo 6. Wan-Hoff pensaba marcharse 7. mientras tanto 8. volviéndose rápido hacia ellos 9. por las tardes 10. si hacía buen tiempo 11. no sólo . . . sino también 12. de cuando en cuando 13. todo lo contrario 14. parecerse a 15. igual que

III. The Infinitive. The two commonest uses of the infinitive in Spanish are as a complement to a main verb, i.e., to express a second verbal idea without the necessity for indicating the subject again (*quiero ir*) and as a verbal noun, equivalent of the English gerund,[1] (*al llegar*). Study the following examples of the use of the infinitive, selected from the text of Chapters VIII and IX.

1. Poco tiempo después de instalarse Wan-Hoff con su familia en la atalaya . . . 2. La mujer de Wan-Hoff, doña Berta, no se acostumbraba a vivir en la atalaya. 3. Entonces Wan-Hoff decidió llevar la familia a vivir al barrio viejo de Mendoz. 4. Recién instalado en la atalaya construyó una segunda chimenea grande por la que se veía salir a menudo un humo negro y denso. 5. El holandés se obstinaba en mantenerse siempre en su existencia solitaria. 6. Algunas veces se acercaba al barrio de pescadores y compraba por sí mismo el pescado, después de examinarlo atentamente y hacérselo pesar con exactitud. 7. Pero también ocurría que se pasaban largas temporadas sin asomarse por allí, pues les gustaba más ir por otros parajes o

[1]Gerund = English verbal form ending in *-ing* and used as a noun.

permanecer en su casa del pueblo. 8. Pasaba sin insistir en sus relatos por los hechos personales de valor que le concernían, lo que, acaso sin él proponérselo, le daba a su actitud y a sus historias mayor interés y atractivo. 9. De su familia contaba pocas cosas: en cambio le gustaba relatar aventuras marinas. 10. Con la llegada de Roberto, Margarita y Miguel Polanco empezaron a dejar de verse.

X–XI

(*pages 29–33*)

I. Translate these sentences, paying special attention to the italicized portions of each.

1. *Roberto me llevará donde quiera* y *yo no sabré resistirme a su voluntad*, pero *yo preferiría* quedarme aquí cuando él se vaya. 2. Una vieja *se puso a protestar* y también a burlarse de la pareja. 3. *A los gitanos les entró tal pánico* que se dispersaron rápidamente. 4. *A Roberto se le empezó a mirar* como a una persona temible. 5. *Le parecía* que empezaba a sentirse feliz. 6. *Vete tú a saber.* 7. *A Margarita no dejó de hacerle algún efecto la noticia.* 8. *Lo que sí es cierto* es que por entonces los enemigos de Wan-Hoff hicieron mucho más discreta su vigilancia. 9. *No hay que hacer caso.* 10. *A Margarita se le llenaron los ojos de lágrimas* y se puso a llorar silenciosamente.

II. The following idioms appear in the text. Translate them; then use them in Spanish sentences.

1. casarse con 2. en un abrir y cerrar de ojos 3. hacer tertulia 4. adoptar el partido 5. a pesar de 6. de todos modos 7. por lo visto 8. apenas si 9. alguna que otra pareja 10. por fin

III. The Subjunctive. The subjunctive forms of the verb are used primarily in subordinate or dependent clauses. There are three types of clauses — noun, adverb, adjective. In each case the subjunctive verb form expresses some aspect of an attitude (or mood) which may be described as *subjective*, rather than matter-of-fact. The commonest aspects of subjectivity conveyed are those of desire and of uncertainty about something. Here are some examples taken from the text; try to analyze the appearance of the subjunctive verb form in terms of the statements about the use of the subjunctive which you have learned.

1. Roberto me llevará donde *quiera* y yo no sabré resistirme a su voluntad. 2. Yo preferiría quedarme aquí cuando *él se vaya*. 3. Esta sinceridad le valió a Margarita el que la amiga indiscreta *hiciese* comentarios malévolos con las demás muchachas. 4. Roberto la invitó a que *callara* y a que *se conformase* con lo que le había dado. 5. Le parecía que empezaba a sentirse feliz y lo sería completamente si *pudiera* cambiar el destino de Roberto. 6. El hijo de la casa de Polanco les había dicho a sus padres que tal vez *reanudase* sus estudios para cura. (In this sentence the subjunctive is due to the attitude expressed by *tal vez*.) 7. La madre del muchacho le había instado para que *se tomase* algún tiempo hasta adoptar definitivamente el partido de irse al seminario. 8. Roberto me dijo anoche que te *trajera* hoy este papel. 9. Confío en volver para quedarme aquí para siempre, para que ya no *tengamos* que separarnos más. 10. Dijo Roberto que realmente la vida del marino es dura y que acaso *valiera* más un hogar feliz en tierra firme que el más hermoso barco y la más maravillosa de las aventuras.

IV. Retell Chapter VI–XI in your own words. Try to use the grammar constructions discussed in these chapters and as many of the idioms as possible.

XII–XIII
(*pages 33–38*)

I. Translate these sentences, paying special attention to the italicized portions of each.

1. Como la vieja *no había estado allí desde hacía cuarenta años*, no le conocía. 2. *Que se quede*, pero *que no estorbe*, porque de lo contrario le largo con viento fresco. 3. *No tiene más que obedecer*. 4. Margarita *vio venir hacia ella a Miguel*, que se hacía el encontradizo. 5. El holandés, *por lo que se dijo*, estaba pensando por entonces en marcharse del pueblo. 6. *Ello no era más que el pretexto* para registrarle la casa. 7. Cuando el amo le mandaba tener el horno encendido, sin dejarlo apagar, ella cumplía la orden ciegamente, *aunque le costara permanecer en vela* toda la noche. 8. *De aquí le venía el apodo*. 9. Su edad era de unos diez y seis o diez y siete años, pero *lo mismo podía tener catorce que diez y nueve*. 10. Trabajaba cuando *le daba la gana*.

II. The following idioms appear in the text. Translate them; then use ten of them in Spanish sentences.

1. ni siquiera 2. de improviso 3. probar bocado 4. de paso 5. ¿Qué tal estás? 6. llevar razón 7. no . . . más que 8. dar en el clavo 9. cada vez más 10. hay que 11. ser algo loco 12. hacerse amigos 13. eran a cuál más fieles. 14. el humor del holandés se puso todavía más agrio 15. las altas horas de la noche

III. One of the major problems in learning to read Spanish rapidly and accurately is determining what the subject of the verb is in each case. In English the subject nearly always is a separate word and precedes the verb. In Spanish the subject may be expressed as a separate word or it may merely be indicated by the ending of the verb form. If a separate word, it may precede the verb or, just as commonly, come after it. In the following passage, identify the subject of each italicized verb form.

En este tiempo *se presentó* de improviso en Mendoz un muchacho sobrino de la Catalina, que *dijo* que *venía* del pueblo de ésta, de Bermeo. Como la vieja no *había estado* allí desde hacía cuarenta años, no le *conocía.* Y éste le *trasmitió* la encomienda que sus padres *hacían* a la pariente de que le *ayudase* a darle algún trabajo, si *podía.*

Catalina le *pidió* a Wan-Hoff que la *recibiese* en la atalaya y que la *tomase* como criado. El muchacho *se llamaba Tomás,* pero por lo que se *dijo* en Bermeo todos le *conocían* por «Chirrichu», que *quería* decir algo como «el Conejito». Según ella, «Chirrichu» *era* fiel y obediente.

XIV–XV
(*pages 38–44*)

I. Translate these sentences, paying special attention to the italicized portions of each.

1. De buena gana *lo hubiese retirado* de allí y *lo hubiera llevado* mientras el tiempo de tempestades siguiese en la atalaya. 2. Ya fuera de la casa, cuando avanzaba Wan-Hoff con «El Desesperado», «Chirrichu» y el perro, *volvió a distinguirle.* 3. Trifón *debió ver* a los hombres y al perro que marchaban a su

encuentro. 4. La luna *se ocultó* por completo. 5. El cielo *se había puesto* todo negro. 6. *Suelta* aquí tu carga y *espera* con Teufel cuidando de ella. 7. *Entre los cuatro se bebieron* en pocos minutos una botella entera de aguardiente. 8. *Dejó beber a la vieja.* 9. Luego, *como si de repente le hubiera pasado el efecto* paralizador del alcohol, hizo varios preparativos. 10. *Apenas se veía aún.* 11. *Terminados los preparativos* embarcaron Wan-Hoff, «Chirrichu» y «El Desesperado». 12. *No se acordaba* bien de *lo que había sucedido* la noche anterior. 13. *Se le marcaron* en su cara *mil arrugas más de las que ya tenía.* 14. *¿Qué quiere usted que le diga?*

II. The following idioms appear in the text. Translate them; then use ten of them in Spanish sentences.

1. de buena gana 2. una noche de mediados de noviembre 3. mucho rato 4. dentro de poco 5. ya no 6. al poco 7. poco a poco 8. de nuevo 9. de repente 10. tal vez 11. estar en pie 12. ya que 13. de pronto 14. echarse a 15. llevarse algo

III. Prepositions and Infinitives. An earlier exercise was devoted to the uses of the infinitive. Another characteristic of grammatical situations involving the infinitive is the rather capricious use of prepositions to introduce it. A complementary infinitive may be preceded by *a*, *de*, *en*, or some other preposition, or it may be preceded by no preposition. What determines the use or lack of use of a preposition is the main verb which introduces the infinitive. The following sentences taken from the text illustrate the variety that prevails. (It may be noted that certain verbs can be grouped by meaning as taking a particular preposition before a following complementary infinitive, e.g., verbs of motion, of learning, and of beginning generally take *a* before a following infinitive.)

1. De pronto Wan-Hoff se puso sus botas altas y dijo que iba *a* salir. 2. La luna parecía (no preposition) ir atravesando las nubes grises con sus rayos claros. 3. Si quiere usted (no preposition) venir, venga usted. 4. Tenemos *que* ir con precaución. 5. Ya fuera de la casa, volvió *a* distinguirle. 6. Empezó *a* levantarse un viento terrible y comenzaron *a* formarse en el cielo nubarrones que lo encapotaban. 7. Trifón debió (no preposition) ver a los hombres y al perro. 8. El holandés quería (no

preposition) recoger su tesoro. 9. La Catalina había salido fuera de la construcción de la atalaya y desde allí trataba *de* divisarles. 10. Pudo (no preposition) distinguir a Wan-Hoff. 11. La Catalina decidió (no preposition) meterse en la casa. 12. Cuando estuvieron en la casa se dedicaron *a* secarse al fuego. 13. La trajo y no tardaron *en* apurarla. 14. Dejó (no preposition) beber a la vieja. 15. «El Desesperado», en una de las idas y venidas a la lancha, no dejó *de* acordarse del pequeño arsenal de que disponían. 16. Cuando ya la lancha había desaparecido, el perro se puso *a* ladrar. 17. La Catalina se echó *a* reír cínicamente.

XVI–XVII
(*pages 44–47*)

I. Translate these sentences, paying special attention to the italicized portions of each.

1. Wan-Hoff, «El Desesperado» y «Chirrichu», *como se presumía, no volvieron nunca a aparecer* por Mendoz. 2. El pueblo *supo* en seguida la noticia de la fuga. 3. Al principio, los que no podían dominar su curiosidad preguntaron a doña Berta, que dijo que *su marido hacía tiempo había dicho* que quería marcharse. 4. La vieja Catalina *llegó a adquirir* cierta simpatía entre la gente del puerto. 5. En la taberna del Chipirón la solían convidar a beber *lo que quisiera.* 6. *Hubo* también *quien* aseguró que había vuelto a Bermeo. 7. *Se supuso que se lo mandaba,* desde no se sabía dónde, *el holandés.* 8. Todo quedó en el misterio, *lo que hizo que el recuerdo de lo ocurrido se siguiera comentando* durante mucho tiempo. 9. *¿Cómo que no?* 10. *No lograban ponerse de acuerdo* en sus opiniones.

II. The following idioms appear in the text. Translate them; then use them in Spanish sentences.

1. el mejor día 2. el caso es 3. al principio 4. quedar por el suelo 5. dar resultado 6. cosa así 7. un poco de novela antigua 8. de chico 9. no, eso no 10. haber de

III. *Que* is probably the commonest of Spanish words. Like its most frequent English equivalent, *that, que is* used in a variety of grammatical situations, and it is described variously as a relative pronoun or as a subordinating or coordinating conjunction. It is used as an untranslatable particle in examples like *creo que sí* and *digo que no*. The following examples, taken from the novel you have just finished, illustrate many of the uses of this troublesome word. Study them and try to make sure that you understand each use and know whether, and how, to translate the word in each case.

1. *Que* venga también «Chirrichu». (The *que* that begins this sentence shows that the construction retains the form of a subordinate clause: (Quiero) que venga también «Chirrichu».) 2. Algunas gentes decían *que* el mejor día se presentarían los extraños personajes llegando de cualquier lugar oculto del mundo. 3. El caso es *que* jamás se supo absolutamente nada de ellos. 4. Al principio, los *que* no podían dominar su curiosidad preguntaron a doña Berta, *que* dijo *que* su marido hacía tiempo había dicho *que* quería marcharse. 5. Fueron a ver a la Catalina y le pidieron *que* ella con el perro inspeccionase de nuevo aquellos sitios. 6. La solían convidar a beber lo *que* quisiera. 7. ¿Cómo *que* no? 8. —Claro—añadió don Fructuoso—*que* luego a estas viejas la fantasía las rodea de otros poderes y atributos. 9. El perro negro, amenazador, y *que* casi echa fuego por los ojos, *que* acompaña a un tipo misterioso, esto sí *que* parece *que* esté inventado. 10. Tenemos *que* ir con precaución.

IV. Retell Chapters XII–XVII in your own words. Try to use the grammar constructions discussed in these chapters and as many of the idioms as possible.

Miguel de Unamuno

(1864-1936)

Unamuno, vasco como Baroja y, también como él, figura cumbre de la Generación del 98, el conjunto más distinguido de pensadores y artistas de la literatura española del siglo XX, escribió, durante una vida activísima, ensayos, poemas, dramas, y una serie de novelas notables por su vigor y por su concisión expresiva. Quizá más famoso por su ensayo filosófico-religioso Del sentimiento trágico de la vida en los hombres y en los pueblos (*1912*), *en que desarrolla su punto de vista hacia el problema central de la incompatibilidad entre la razón y la fe, Unamuno se sirve también de la novela para presentar en forma más dramática sus preocupaciones con los grandes problemas de la vida. Las* Tres novelas ejemplares y un prólogo (*1920*) *se destacan por su profunda penetración de las fuentes del amor y de la voluntad humana; la más conocida de ellas es* Nada menos que todo un hombre.

Nada menos que todo un hombre[1]

I

La fama de la hermosura de Julia estaba esparcida por toda la comarca[2] que ceñía a la vieja ciudad de Renada; era Julia algo así como su belleza oficial, o como un monumento más, pero viviente[3] y fresco, entre los tesoros arquitectónicos[4] de la capital. «Voy a Renada — decían algunos — a ver la Catedral y a ver a Julia Yáñez.» Había en los ojos de la hermosa como un[5] agüero[6] de tragedia. Su porte[7] inquietaba a cuantos la miraban. Los viejos se entristecían[8] al verla pasar . . . y los mozos se dormían aquella noche más tarde. Y ella, consciente[9] de su poder, sentía sobre sí la pesadumbre[10] de un porvenir fatal. Una voz muy recóndita[11] parecía decirle: «¡ Tu hermosura te perderá !» Y se distraía para no oírla.

El padre de la hermosura regional, don Victorino Yáñez, sujeto de muy brumosos[12] antecedentes[13] morales, tenía puestas en la hija todas sus últimas y definitivas esperanzas de redención[14] económica. Era agente de negocios, y éstos le iban de mal en peor.[15]

[1]*todo un hombre* a real man, every inch a man [2]*comarca* region [3]*viviente* living [4]*arquitectónico* architectural [5]*como un* something like [6]*agüero* augury, prediction [7]*porte m.* behavior, carriage, way of walking [8]*entristecerse* to become sad [9]*consciente* conscious, aware [10]*pesadumbre f.* weight, heaviness [11]*recóndito* inner, inward [12]*brumoso* shady, hazy [13]*antecedentes m.* background [14]*redención f.* redemption [15]*de mal en peor* from bad to worse

Su último y supremo negocio, la última carta que le quedaba por jugar,[16] era la hija. Tenía también un hijo; pero era cosa perdida, y hacía tiempo que ignoraba su paradero.[17]

— Ya no nos queda más que Julia — solía decirle a su mujer — ; 5 todo depende de cómo se nos case o de cómo la casemos. Si hace una tontería, y me temo que la haga, estamos perdidos. Pues lo que aquí hace falta, ya te lo he dicho cien veces, es que vigiles[18] a Julia y le impidas que ande con esos noviazgos[19] estúpidos, en que pierden el tiempo, las proporciones[20] y hasta la salud las 10 renatenses todas.[21]

— ¿ Y qué le voy a hacer ?[22]

— ¿ Qué le vas a hacer ? Hacerla comprender que el porvenir y el bienestar de todos nosotros, de ti y mío, y la honra, acaso, ¿ lo entiendes ?

15 — Sí, lo entiendo.

— ¡ No, no lo entiendes ! La honra, ¿ lo oyes ?, la honra de la familia depende de su casamiento.

— ¡ Pobrecilla !

— ¿ Pobrecilla ? Lo que hace falta es que no empiece a echarse 20 novios absurdos,[23] y que no lea esas novelas disparatadas[24] que lee.

— ¡ Pero y qué quieres que haga !

— Pensar con juicio, y darse cuenta de lo que tiene con su hermosura, y saber aprovecharla.

— Pues yo, a su edad . . .

25 — ¡ Vamos, Anacleta, no digas más necedades ![25] Tú, a su edad . . . Tú, a su edad . . . Mira que te conocí entonces . . .

— Sí, por desgracia . . .

Y separábanse los padres de la hermosura para recomenzar al siguiente día una conversación parecida.

30 Y la pobre Julia sufría, comprendiendo toda la hórrida hondura[26] de los cálculos[27] de su padre. «Me quiere vender — se decía — , para salvar sus negocios; para salvarse acaso del presidio.» Y así era.

[16]*que le quedaba por jugar* which he had left to play [17]*paradero* whereabouts [18]*vigilar* to watch over [19]*noviazgo* engagement [20]*proporción* chance of a good marriage [21]*las renatenses todas* all the Renada girls [22]*qué le voy a hacer?* what can I do about it? [23]*echarse novios absurdos* to get involved with ridiculous boyfriends [24]*disparatado* absurd, nonsensical [25]*necedad f.* foolishness [26]*hondura* depth [27]*cálculo* calculation

Y por instinto de rebelión, aceptó Julia al primer novio.

—Mira, por Dios, hija mía—le dijo su madre—, que ya sé lo que hay, y le he visto y sé que recibiste una carta suya, y que le contestaste . . .

—¿Y qué voy a hacer, mamá? ¿Vivir como una esclava,[28] prisionera, hasta que venga el sultán a quien papá me venda? 5

—No digas esas cosas, hija mía . . .

—¿No he de poder tener un novio, como le tienen las demás?

—Sí, pero un novio formal.

—¿Y cómo se va a saber si es formal o no? Lo primero es empezar. Para llegar a quererse, hay que tratarse antes. 10

—Quererse . . . , quererse . . .

—Vamos, sí, que debo esperar al comprador.

—Ni contigo ni con tu padre se puede.[29] Así sois los Yáñez. ¡Ay, el día que me casé! 15

—Es lo que yo no quiero tener que decir un día.

Y la madre, entonces, la dejaba. Y ella, Julia, se atrevió a bajar a hablar con el primer novio a una ventana del piso bajo.[30] «Si mi padre nos sorprende así—pensaba—, es capaz de cualquier barbaridad conmigo. Pero, mejor, así se sabrá que soy una víctima, que quiere especular[31] con mi hermosura.» Bajó a la ventana, y en aquella primera entrevista[32] le contó a Enrique, un incipiente tenorio[33] renatense, todas las miserias morales de su hogar. Venía a salvarla, a redimirla.[34] «A esta mocita[35]—se dijo él—le da por lo trágico;[36] lee novelas sentimentales.» Y una vez que logró que se supiera en toda Renada cómo la hermosura regional le había admitido a su ventana, buscó el medio de desentenderse[37] del compromiso. Bien pronto lo encontró. Porque una mañana bajó Julia y le dijo: 20 25

—¡Ay, Enrique!; esto no se puede ya tolerar; esto no es casa ni familia; esto es un infierno.[38] Mi padre se ha enterado de nuestras relaciones, y está furioso. ¡Figúrate que anoche, porque me defendí, llegó a pegarme! 30

[28]*esclava* slave [29]*Ni contigo ni con tu padre se puede.* Both you and your father are impossible. [30]*piso bajo* ground floor [31]*especular* to speculate [32]*entrevista* interview [33]*tenorio* Don Juan. Don Juan Tenorio is the name of the original Don Juan, in Tirso de Molina's play *El burlador de Sevilla.* [34]*redimir* to redeem [35]*mocita* (dim. of *moza*) [36]*le da por lo trágico* takes things tragically [37]*desentenderse* to get out of [38]*infierno* hell

—¡Qué bárbaro!

—No lo sabes bien. Y dijo que te ibas a ver con él...[39]

—¡A ver, que venga! Pues no faltaba más.

Mas, por lo bajo[40] se dijo: «Hay que acabar con esto, porque
5 ese hombre es capaz de cualquier atrocidad si ve que le van a quitar su tesoro.»

—Di, Enrique, ¿tú me quieres?

—¡Con toda el alma y con todo el cuerpo!

—¿Pero de veras?

10 —¡Y tan de veras!

—¿Estás dispuesto a todo por mí?

—¡A todo, sí!

—Pues bien, róbame, llévame. Tenemos que escaparnos; pero muy lejos, muy lejos, adonde no pueda llegar mi padre.

15 Y se pusieron a concertar[41] la huída.

Pero al siguiente día, el fijado para la fuga, y cuando Julia tenía preparado su hatito[42] de ropa, y hasta avisado secretamente el coche, Enrique no compareció.[43] «¡Cobarde, más que cobarde! ¡Vil, más que vil! —se decía la pobre Julia. ¡Y decía quererme!
20 No, no me quería a mí; quería mi hermosura. ¡Y ni esto! Lo que quería es jactarse[44] ante toda Renada de que yo, Julia Yáñez, ¡nada menos que yo!, le había aceptado por novio. ¡Vil, vil, vil! ¡Vil como mi padre; vil como hombre!» Y cayó en mayor desesperación.

25 —Ya veo, hija mía —le dijo su madre—, que eso ha acabado, y doy gracias a Dios por ello. Pero mira, tiene razón tu padre: si sigues así, no harás más que desacreditarte.[45]

—¿Si sigo cómo?

—Así, admitiendo al primero que te solicite. Adquirirás fama
30 de coqueta y...

—Y mejor, madre, mejor. Así acudirán más. Sobre todo, mientras no pierda lo que Dios me ha dado.

—¡Ay, ay! De la casta de tu padre, hija.

Y, en efecto, poco después admitía a otro pretendiente a novio.

[39]*te ibas a ver con él* you were going to have to deal with him [40]*por lo bajo* in an undertone [41]*concertar* to arrange [42]*hatito* (dim. of *hato*) little bundle [43]*comparecer* to show up, appear [44]*jactarse* to boast [45]*desacreditar* to discredit

Al cual le hizo las mismas confidencias, y le alarmó lo mismo que a Enrique. Sólo que Pedro era de más recio[46] corazón. Y por los mismos pasos contados[47] llegó a proponerle lo de la fuga.

— Mira, Julia — le dijo Pedro — , yo no me opongo a que nos fuguemos;[48] es más,[49] estoy encantado con ello, ¡ figúrate tú ! 5
Pero y después que nos hayamos fugado, ¿ adónde vamos, qué hacemos ?

— ¡ Eso se verá !

— ¡ No, eso se verá, no ! Hay que verlo ahora. Yo durante algún tiempo, no tengo de qué mantenerte;[50] en mi casa sé que no 10
nos admitirían; ¡ y en cuanto a tu padre . . . ! De modo que, dime, ¿ qué hacemos después de la fuga ?

— ¿ Qué ? ¿ No vas a volverte atrás ?[51]

— ¿ Qué hacemos, di ?

— Pues . . . ¡ suicidarnos ![52] 15

— ¡ Tú estás loca, Julia !

— Loca, sí; loca de desesperación, loca de asco,[53] loca de horror a este padre que me quiere vender . . . Y si tú estuvieses loco, loco de amor por mí, te suicidarías conmigo.

— Pero advierte, Julia, que tú quieres que esté loco de amor por 20
ti para suicidarme contigo, y no dices que te suicidarás conmigo por estar loca de amor por mí, sino loca de asco a tu padre y a su casa. ¡ No es lo mismo !

— ¡ Ah ! ¡ Qué bien discurres ![54] ¡ El amor no discurre !

Y rompieron también sus relaciones. Y Julia se decía: «Tam- 25
poco éste me quería a mí, tampoco éste. Se enamoran de mi hermosura, no de mí.» Y lloraba amargamente.

— ¿ Ves, hija mía — le dijo su madre — : no lo decía ? ¡ Ya va otro !

— E irán cien, mamá; ciento, sí, hasta que encuentre el mío, el 30
que me liberte de vosotros. ¡ Querer venderme !

— Eso díselo a tu padre.

Y se fue doña Anacleta a llorar a su cuarto, a solas.[55]

[46]*recio* stout, strong [47]*por los mismos pasos contados* in the same way (just) described [48]*fugarse* to flee [49]*es más* what's more [50]*no tengo de qué mantenerte* I won't have the means to support you [51]*volverse atrás* to back out [52]*suicidarse* to commit suicide [53]*asco* disgust [54]*discurrir* to reason, discourse [55]*a solas* alone, by oneself

— Mira, hija mía — le dijo, al fin, a Julia su padre —, he dejado pasar eso de tus dos novios, y no he tomado las medidas que debiera; pero te advierto que no voy a tolerar más tonterías de ésas. Conque ya lo sabes.

5 La voluntad de la pobre muchacha se iba quebrantando.[56] Comprendía que hasta una venta sería una redención. Lo esencial era salir de casa, huir de su padre, fuese como fuese.[57]

II

Por entonces compró una dehesa[1] en las cercanías[2] de Renada un indiano,[3] Alejandro Gómez. Nadie sabía bien de su origen, 10 nadie de sus antecedentes, nadie le oyó hablar nunca ni de sus padres, ni de sus parientes, ni de su pueblo, ni de su niñez. Sabíase sólo que, siendo muy niño, había sido llevado por sus padres a Cuba, primero, y a Méjico, después, y que allí, ignorábase cómo, había fraguado[4] una enorme fortuna, una fortuna fabulosa — 15 hablábase de varios millones de duros —, antes de cumplir los treinta y cuatro años, en que volvió a España, resuelto a afincarse[5] en ella. Decíase que era viudo y sin hijos, que corrían respecto a él las más fantásticas leyendas.[6] Los que le trataban teníanle por hombre ambicioso y de vastos proyectos.

20 — Con dinero se va a todas partes — solía decir.

— No siempre, ni todos — le replicaban.

— ¡ Todos, no; pero los que han sabido hacerlo, sí ! Un señoritingo[7] de esos que lo han heredado no, no va a ninguna parte, por muchos millones que tenga;[8] ¿ pero yo ? ¿ Yo ? ¿ Yo, que he 25 sabido hacerlo por mí mismo ? ¿ Yo ?

¡ Y había que oír[9] cómo pronunciaba «yo» ! En esta afirmación personal se ponía el hombre todo.

[56]*quebrantar* to break, shatter [57]*fuese como fuese* no matter how, at all costs
[1]*dehesa* ranch [2]*cercanías* environs, vicinity [3]*indiano* Spaniard who has returned from the Indies (i.e., America), usually wealthy [4]*fraguar* to forge, put together [5]*afincarse* to settle down [6]*leyenda* legend [7]*señoritingo* little gentleman (contemptuous) [8]*por muchos millones que tenga* however many millions he may have [9]*había que oír* you should have heard

— Nada que de veras me haya propuesto he dejado de conseguir. ¡ Y si quiero, llegaré a ministro ![10] Lo que hay[11] es que yo no lo quiero.

III

A Alejandro le hablaron de Julia, la hermosura monumental de Renada. «¡ Hay que ver eso !» — se dijo — . Y luego que[1] la vio: «¡ Hay que conseguirla !»

— ¿ Sabes, padre — le dijo un día al suyo Julia — , que ese fabuloso Alejandro, ya sabes, no se habla más que de él hace algún tiempo, el que ha comprado Carbajedo . . . ?

— ¡ Sí, sí, sé quién es ! ¿ Y qué ?

— ¿ Sabes que también ése me ronda ?

— ¿ Es que quieres burlarte de mí, Julia ?

— No, no me burlo, va en serio;[2] me ronda.

— ¡ Te digo que no te burles . . . !

— ¡ Ahí tienes su carta !

Y sacó del seno una, que echó a la cara de su padre.

— ¿ Y qué piensas hacer ? — le dijo éste.

— ¡ Pues qué he de hacer . . . ![3] ¡ Decirle que se vea contigo y que convengáis[4] el precio !

Don Victorino atravesó[5] con una mirada a su hija y se salió sin decirle palabra. Y hubo unos días de silencio y de calladas cóleras en la casa. Julia había escrito a su nuevo pretendiente una carta contestación henchida[6] de sarcasmos y de desdenes, y poco después recibía otra con estas palabras en letras grandes: «Usted acabará siendo mía. Alejandro Gómez sabe conseguir todo lo que se propone.» Y al leerla, se dijo Julia: «¡ Este es un hombre ! ¿ Será mi redentor ? ¿Seré yo su redentora ?»[7] A los pocos días de[8] esta

[10]*llegaré a ministro* I'll get to be a (cabinet) member (minister) [11]*lo que hay* the fact is

[1]*luego que* as soon as [2]*va en serio* it's serious, a serious matter [3]*qué he de hacer* what else can I do, what do you expect me to do [4]*convenir* to agree upon [5]*atravesar* (here) to pierce [6]*henchido* full of [7]*redentor m.* (*redentora f.*) redeemer [8]*a los pocos días de* a few days after

segunda carta llamó don Victorino a su hija, se encerró con ella y casi de rodillas[9] y con lágrimas en los ojos, le dijo:

— Mira, hija mía, todo depende ahora de tu resolución: nuestro porvenir y mi honra. Si no aceptas a Alejandro, dentro de poco no podré ya encubrir[10] mi ruina y hasta mis . . .

— No lo digas.

— No, no podré encubrirlo. Y me echarán a presidio.[11] Hasta hoy he logrado parar el golpe . . . ¡ por ti ! ¡ Invocando tu nombre ! Tu hermosura ha sido mi escudo.[12] «Pobre chica», se decían.

— Y, ¿ si le acepto ?

— Pues bien; voy a decirte la verdad toda. Ha sabido mi situación, se ha enterado de todo, y ahora estoy ya libre y respiro, gracias a él. Ha pagado todas mis trampas,[13] ha liberado mis . . .

— Sí, lo sé, no lo digas. ¿ Y ahora ?

— Que dependo de él, que dependemos de él, que vivo a sus expensas, que vives tú misma a sus expensas.

— Es decir, ¿ que me has vendido ya ?

— No, nos ha comprado.

— ¿ De modo que, quieras que no,[14] soy ya suya ?

— ¡ No, no exige eso; no pide nada, no exige nada !

— ¡ Qué generoso !

— ¡ Julia !

— Sí, sí, lo he comprendido todo. Dile que, por mí, puede venir cuando quiera.

Y tembló después de decirlo. ¿ Quién había dicho esto ? ¿ Era ella ? No; era más bien otra que llevaba dentro y la tiranizaba.[15]

— ¡ Gracias, hija mía, gracias !

El padre se levantó para ir a besar a su hija; pero ésta, rechazándole,[16] exclamó:

— ¡ No, no me manches ![17]

— Pero, hija.

— ¡ Vete a besar tus papeles ! O mejor, las cenizas[18] de aquellos que te hubiesen echado a presidio.

[9]*de rodillas* on his knees [10]*encubrir* to conceal, cover up [11]*presidio* prison [12]*escudo* shield [13]*trampa* bad debt [14]*quieras que no* whether I like it or not, in any case [15]*tiranizar* to tyrannize [16]*rechazar* to reject, repulse [17]*manchar* to stain [18]*ceniza* ash

IV

— ¿ No le dije yo a usted, Julia, que Alejandro Gómez sabe conseguir todo lo que se propone ? ¿ Venirme con aquellas cosas a mí ? ¿ A mí ?

Tales fueron las primeras palabras con que el joven indiano se presentó a la hija de don Victorino, en la casa de ésta. Y la muchacha tembló ante aquellas palabras, sintiéndose, por primera vez en su vida, ante un hombre. Y el hombre se le ofreció más rendido[1] y menos grosero[2] que ella esperaba.

A la tercera visita, los padres los dejaron solos. Julia temblaba. Alejandro callaba. Temblor y silencio se prolongaron un rato.

— Parece que está usted mala, Julia — dijo él.

— ¡ No, no; estoy bien !

— Entonces, ¿ por qué tiembla así ?

— Algo de[3] frío acaso . . .

— No, sino miedo.

— ¿ Miedo ? ¿ Miedo de qué ?

— ¡ Miedo . . . a mí !

— ¿ Y por qué he de tenerle miedo ?

— Sí, me tiene miedo.

Julia lloraba desde lo más hondo de las entrañas,[4] lloraba con el corazón.

— ¿ Es que soy algún ogro ?[5] — susurró[6] Alejandro.

— ¡ Me han vendido ! ¡ Me han vendido !

—¿ Y quién dice eso ?

— ¡ Yo, lo digo yo ! ¡ Pero no, no seré de[7] usted . . . sino muerta !

— Serás mía, Julia, serás mía . . . ¡ Y me querrás ! ¿Vas a no quererme a mí ? ¿ A mí ? ¡ Pues no faltaba más !

Y hubo en aquel *a mí* un acento tal, que se le cortó a Julia la fuente de las lágrimas. Miró entonces a aquel hombre, mientras una voz le decía: «¡ Este es un hombre !»

[1]*rendido* (from *rendir*) submissive [2]*grosero* coarse, rough [3]*algo de* a little, a bit of [4]*entrañas* (*literally*, entrails) (here) being [5]*ogro* ogre [6]*susurrar* to whisper, murmur [7]*ser de* to belong to

— ¡ Puede usted hacer de mí lo que quiera !

— ¿ Qué quieres decir con eso? — preguntó él, insistiendo en seguir tuteándola.

— No sé . . . No sé lo que me digo . . .

5 — ¿ Qué es eso de que puedo hacer de ti lo que quiera ?

— Sí, que puede . . .

— Pero es que lo que yo quiero es hacerte mi mujer.

A Julia se le escapó un grito, y con los grandes ojos hermosísimos irradiando[8] asombro, se quedó mirando al hombre, que 10 sonreía y se decía: «Voy a tener la mujer más hermosa de España.»

— ¿ Pues qué creías . . . ?

— Yo creí . . . , yo creí . . .

Sintió luego unos labios sobre sus labios y una voz que le decía:

15 — Sí, mi mujer, la mía . . . , mía . . . , mía . . . ¡ Mi mujer legítima, claro está ! ¡ La ley sancionará[9] mi voluntad ! ¡ O mi voluntad la ley!

— ¡ Sí . . . tuya !

Estaba rendida. Y se concertó la boda.

V

20 ¿ Qué tenía aquel hombre rudo[1] y hermético que, a la vez que le daba miedo, se le imponía ?[2] Y, lo que era más terrible, le imponía una especie de extraño amor. Porque ella, Julia, no quería querer a aquel aventurero, que se había propuesto tener por mujer a una de las más hermosas y hacer que luciera sus millones; pero, 25 sin querer quererle, sentíase rendida a una sumisión que era una forma de enamoramiento.[3] Era algo así como el amor que debe encenderse en el pecho de una cautiva[4] para con[5] un arrogante conquistador.[6] ¡ No la había comprado, no ! Habíala conquistado.

[8]*irradiar* to radiate [9]*sancionar* to ratify

[1]*rudo* rough [2]*se le imponía* dominated her (*literally*, imposed himself upon her) [3]*enamoramiento* love [4]*cautiva* captive [5]*para con* toward [6]*conquistador m.* conqueror

«Pero él — se decía Julia —, ¿ me quiere de veras ? ¿ Me quiere a mí ? ¿ A mí ?, como suele decir él. ¡ Y cómo lo dice ! ¡ Cómo pronuncia *yo !* ¿ Me quiere a mí, o es que no busca sino lucir mi hermosura ? ¿ Seré[7] para él algo más que un mueble costosísimo[8] y rarísimo ? ¿ Estará de veras enamorado de mí ? ¿ No se saciará[9] pronto de mi encanto ? De todos modos, va a ser mi marido, y voy a verme libre de este maldito hogar, libre de mi padre. ¡ Porque no vivirá con nosotros, no ! Le pasaremos una pensión, y que siga insultando a mi pobre madre, y que se enrede[10] con las criadas. ¡ Y seré rica, muy rica, inmensamente rica !»

Mas esto no la satisfacía del todo. Sabíase envidiada por las renatenses, y que hablaban de su suerte loca, y de que su hermosura le había producido cuanto podía producirla. Pero, ¿ la quería aquel hombre ? ¿ La quería de veras? «Yo he de conquistar su amor — decíase —. Necesito que me quiera de veras; no puedo ser su mujer sin que me quiera, pues eso sería la peor forma de venderse. ¿ Pero es que yo le quiero ?» Y ante él sentíase sobrecogida,[11] mientras una voz misteriosa, de lo más hondo de sus entrañas, le decía: «¡ Este es un hombre !» Cada vez que Alejandro decía *yo*, ella temblaba. Y temblaba de amor, aunque creyese otra cosa o lo ignorase.

VI

Se casaron y fuéronse a vivir a la corte.[1] Las relaciones y amistades de Alejandro eran, merced a[2] su fortuna, muchas, pero algo extrañas. Los más[3] de los que frecuentaban su casa, aristócratas de blasón[4] no pocos, antojábaselo a Julia que debían ser deudores[5] de su marido, que daba dinero a préstamos.[6] Pero nada sabía de los negocios de él ni éste le hablaba nunca de ellos. A ella no le faltaba

[7]*seré* I wonder if I am (future of probability. This construction, when it occurs in a question, is usually best translated by the phrase "I wonder if" and the present tense.) [8]*costosísimo* very expensive [9]*saciarse* to grow tired [10]*enredarse* to get involved, have affairs [11]*sobrecogido* intimidated, surprised

[1]*corte f.* (here) Madrid [2]*merced a* thanks to [3]*los más* most, the majority [4]*de blasón* with titles, titled [5]*deudor m.* debtor [6]*a préstamos* on loan

nada; podía satisfacer hasta sus menores caprichos;[7] pero le faltaba lo que más podía faltarle. No ya el amor de aquel hombre a quien se sentía subyugada y como por él hechizada,[8] sino la certidumbre[9] de aquel amor. «¿ Me quiere, o no me quiere ? —se preguntaba—.
5 Me colma[10] de atenciones, me trata con el mayor respeto, aunque algo como a una criatura voluntariosa;[11] ¿ pero me quiere ?» Y era inútil querer hablar de amor, de cariño, con aquel hombre.

—Solamente los tontos hablan de esas cosas—solía decir Alejandro—. «Encanto . . . , hermosa . . . , querida . . .» ¿ Yo ?
10 ¿ Yo esas cosas ? ¿ Con esas cosas a mí ? ¿ A mí ? Esas son cosas de novelas. Y ya sé que a ti te gustaba leerlas.

—Y me gusta todavía.

—Pues lee cuantas quieras. Mira, si te empeñas, hago construir en ese solar[12] que hay ahí al lado un gran pabellón[13] para biblioteca
15 y te la lleno de todas las novelas que se han escrito desde Adán acá.

—¡ Qué cosas dices . . . !

Vestía Alejandro de la manera más humilde posible. En cambio, insistía en que ella, su mujer, se vistiese con la mayor elegancia posible y del modo que más hiciese resaltar[14] su natural hermosura.
20 Complacíase[15] en llevarla a su lado y que resaltara la diferencia de vestido y porte entre uno y otra. Recreábase en que las gentes se quedasen mirando a su mujer, y si ella, a su vez, coqueteando,[16] provocaba esas miradas, o[17] no lo advertía él, o más bien fingía no advertirlo. Parecía ir diciendo a aquellos que la miraban: «¿ Os
25 gusta, eh ? Pues me alegro; pero es mía, y sólo mía; conque . . . ¡ rabiad !» Y ella, adivinando este sentimiento, se decía: «¿ Pero me quiere o no me quiere este hombre ?» Porque siempre pensaba en él como en *este hombre*, como en su *hombre*. O mejor, el hombre de quien era ella, el amo. Y poco a poco se le iba formando
30 alma de esclava de harén,[18] de esclava favorita, de única esclava; pero de esclava al fin.

Intimidad entre ellos, ninguna. No se percataba de[19] qué era lo que pudiese interesar a su señor marido. Alguna vez se atrevió ella a preguntarle por su familia.

[7]*capricho* caprice, whim [8]*hechizado* spellbound, bewitched [9]*certidumbre f.* certainty [10]*colmar* to give *or* provide in abundance [11]*voluntarioso* willful [12]*solar m.* empty lot [13]*pabellón m.* pavilion, building [14]*resaltar* to stand out, be evident [15]*complacerse* to take pleasure [16]*coquetear* to flirt [17]*o . . . o* either . . . or [18]*harén m.* harem [19]*percatarse de* to observe, notice, be aware of, figure out

— ¿ Familia ? — dijo Alejandro — . Yo no tengo hoy más familia que tú, ni me importa. Mi familia soy yo, yo y tú, que eres mía.

— ¿ Pero y tus padres ?

— Haz cuenta[20] que no los he tenido. Mi familia empieza en mí. Yo me he hecho solo. 5

— Otra cosa querría preguntarte, Alejandro, pero no me atrevo . . .

— ¿ Que no te atreves ? ¿ Es que te voy a comer ? ¿ Es que me he ofendido nunca de nada de lo que hayas dicho ? 10

— No, nunca, no tengo queja . . .

— ¡ Pues no faltaba más !

— No, no tengo queja; pero . . .

— Bueno, pregunta y acabemos.

— No, no te lo pregunto. 15

— ¡ Pregúntamelo !

Y de tal modo lo dijo, con tan redondo[21] egoísmo, que ella, temblando de aquel modo, que era, a la vez que miedo, amor, amor rendido de esclava favorita, le dijo:

— Pues bueno, dime: ¿ tú eres viudo . . . ? 20

Pasó como una sombra por la frente de Alejandro, que respondió:

— Sí, soy viudo.

— ¿ Y tu primera mujer ?

— A ti te han contado algo . . . 25

— Pues sí, he oído algo . . .

— ¿ Y lo has creído ?

— No . . . , no lo he creído.

— Es natural. Quien me quiere como me quieres tú, quien es tan mía como tú lo eres, no puede creer esas patrañas.[22] 30

— Claro que te quiero . . . — y al decirlo esperaba a provocar una confesión recíproca[23] de cariño.

— Bueno, ya te he dicho que no me gustan frases de novelas sentimentales. Cuanto menos[24] se diga que se le quiere a uno, mejor. 35

Y, después de una breve pausa, continuó:

[20]*hacer cuenta* to consider, reckon [21]*redondo* (here) complete, absolute [22]*patraña* false story [23]*recíproco* reciprocal [24]*cuanto menos* the less

— A ti te han dicho que me casé en Méjico, siendo yo un mozo, con una mujer inmensamente rica y mucho mayor que yo, con una vieja millonaria, y que la obligué a que me hiciese su heredero y la maté luego. ¿ No te han dicho eso ?

— Sí, eso me han dicho.

— ¿ Y lo creíste ?

— No, no lo creí. No pude creer que matases a tu mujer.

— Veo que tienes aún mejor juicio que yo creía. ¿ Cómo iba a matar a mi mujer, a una cosa mía ?

¿ Qué es lo que hizo temblar a la pobre Julia al oír esto ? Ella no se dio cuenta del origen de su temblor; pero fue la palabra *cosa* aplicada por su marido a su primera mujer.

— Habría sido una absoluta necedad — prosiguió Alejandro —. ¿ Para qué ? ¿ Para heredarla ? ¡ Pero si yo disfrutaba de su fortuna lo mismo que disfruto hoy de ella ! ¡ Matar a la propia mujer ! ¡ No hay razón ninguna para matar a la propia mujer !

— Ha habido maridos, sin embargo, que han matado a sus mujeres — se atrevió a decir Julia.

— ¿ Por qué ?

— Por celos,[25] o porque les faltaron[26] ellas . . .

— ¡ Bah, bah, bah ! Los celos son cosas de estúpidos. Sólo los estúpidos pueden ser celosos, porque sólo a ellos les puede faltar su mujer. ¿ Pero a mí? ¿ A mí ? A mí no me puede faltar mi mujer. ¡ No pudo faltarme aquélla, no me puedes faltar tú !

— No digas esas cosas. Hablemos de otras.

— ¿ Por qué ?

— Me duele oírte hablar así. ¡ Cómo si me hubiese pasado por la imaginación, ni en sueños,[27] faltarte . . . !

— Lo sé, lo sé sin que me lo digas; sé que no me faltarás nunca.

— ¡ Claro !

— Que no puedes faltarme. ¿ A mí ? ¿ Mi mujer ? ¡ Imposible ! Y en cuanto a la otra, a la primera, se murió ella sin que yo la matara.

Fue una de las veces en que Alejandro habló más a su mujer. Y ésta quedóse pensativa y temblorosa. ¿ La quería, sí o no, aquel hombre ?

[25]*celos* jealousy [26]*faltar* (here) to be unfaithful [27]*en sueños* while dreaming

VII

¡ Pobre Julia ! Era terrible aquel su nuevo hogar;[1] tan terrible como el de su padre. Era libre, absolutamente libre; podía hacer en él lo que se le antojase, salir y entrar, recibir a las amigas y aun amigos que prefiriera. ¿ Pero la quería, o no, su amo y señor ? La incertidumbre del amor del hombre la tenía como presa en aquel dorado y espléndido calabozo[2] de puerta abierta. 5

Un rayo de sol naciente[3] entró en las tempestuosas tinieblas[4] de su alma esclava cuando se supo encinta[5] de aquel su señor marido. «Ahora sabré si me quiere o no», se dijo.

Cuando le anunció la buena nueva,[6] exclamó aquél: 10

— Lo esperaba. Ya tengo un heredero y a quien hacer un hombre, otro hombre como yo. Le esperaba.

— ¿ Y si no hubiera venido? — preguntó ella.

— ¡ Imposible ! Tenía que venir. ¡ Tenía que tener un hijo yo, yo ! 15

— Pues hay muchos que se casan y no lo tienen . . .

— Otros, sí. ¡ Pero yo no ! Yo tenía que tener un hijo.

— ¿ Y por qué ?

— Porque tú no podías no habérmelo dado.

Y vino el hijo; pero el padre continuó tan hermético. Sólo se 20 opuso a que la madre criara al niño.

— No, yo no dudo de que tengas salud y fuerzas para ello; pero las madres que crían se estropean[7] mucho, y yo no quiero que te estropees: yo quiero que te conserves joven el mayor tiempo posible. 25

Y sólo cedió cuando el médico le aseguró que, lejos de estropearse, ganaría Julia con criar al hijo, adquiriendo una mayor plenitud[8] su hermosura.

El padre rehusaba[9] besar al hijo. Alguna vez lo tomaba en brazos y se le quedaba mirando. 30

[1]*aquel su nuevo hogar* that new home of hers [2]*calabozo* jail [3]*naciente* newborn [4]*tinieblas* darkness [5]*encinta* pregnant [6]*nueva f.* news [7]*estropear* to damage, ruin, *or* spoil [8]*plenitud f.* fullness, plenitude [9]*rehusar* to refuse

—¿No me preguntabas una vez por mi familia? —dijo un día Alejandro a su mujer—. Pues aquí la tienes. Ahora tengo ya familia y quien me herede y continúe mi obra.

Julia pensó preguntar a su marido cuál era su obra; pero no se 5 atrevió a ello. «¡Mi obra! ¿Cuál sería la obra de aquel hombre?» Ya otra vez le oyó la misma expresión.

VIII

De las personas que más frecuentaban la casa eran los condes[1] de Bordaviella, sobre todo él, el conde, que tenía negocios con Alejandro, quien le había dado a préstamo usurario[2] cuantiosos[3] cau-10 dales. El conde solía ir a hacerle la partida[4] de ajedrez[5] a Julia, aficionada a ese juego, y a desahogar[6] en el seno de la confianza de su amiga . . . sus infortunios[7] domésticos. Porque el hogar de los Bordaviella era un pequeño infierno, aunque de pocas llamas.[8] El conde y la condesa ni se entendían ni se querían. Y el pobre 15 conde iba a casa de la hermosa Julia a hacerle la partida de ajedrez y a consolarse de su desgracia buscando la ajena.[9]

—¿Qué, habrá estado también hoy el conde ese?[10] —preguntaba Alejandro a su mujer.

—El conde ese . . . , el conde ese . . . ; ¿qué conde?

20 —¡Ese! No hay más que un conde. O para mí todos son iguales y como si fuesen uno mismo.

—¡Pues sí, ha estado!

—Me alegro, si eso te divierte. Es para lo que sirve el pobre mentecato.[11]

25 —Pues a mí me parece un hombre inteligente y culto, y muy bien educado y muy simpático . . .

[1]*los condes* the count and countess [2]*usurario* usurious, i.e., at a very high rate of interest [3]*cuantioso* abundant, very large [4]*hacer la partida* to play a game [5]*ajedrez m.* chess [6]*desahogar* to alleviate, relieve [7]*infortunio* misfortune [8]*de pocas llamas* (here) a small one (referring to hell), one with little warmth [9]*la (desgracia) ajena* that of others, other people's [10]*el conde ese* that count (contemptuous) [11]*mentecato* fool

—Sí, de los que leen novelas. Pero, en fin, si eso te distrae . . .

—Y muy desgraciado.

—¡Bah; él se tiene la culpa!

—¿Y por qué?

—Por ser tan majadero.[12] Es natural lo que le pasa. Es muy natural que le engañe su mujer. ¡Si eso no es un hombre! No sé cómo hubo quien se casó con semejante cosa. Por supuesto, que no se casó con él, sino con el título. ¡A mí me había de hacer una mujer[13] lo que a ese desdichado[14] le hace la suya . . . !

Julia se quedó mirando a su marido y, de pronto, sin darse apenas cuenta de lo que decía, exclamó:

—¿Y si te hiciese? ¿Si te saliese tu mujer como a él le ha salido la suya?

—Tonterías—y Alejandro se echó a reír—. Y si es que quieres probarme dándome celos, te equivocas. ¡Yo no soy de esos! ¿A mí con esas?[15] ¿A mí?

«¿Pero será cierto que este hombre no siente celos?—se decía Julia—. ¿Será cierto que le tiene sin cuidado que el conde venga y me ronde y me corteje[16] como me está rondando y cortejando? ¿Es seguridad en mi fidelidad[17] y cariño? ¿Es seguridad en su poder sobre mí? ¿Es indiferencia? ¿Me quiere o no me quiere?» Y empezaba a exasperarse. Su amo y señor marido le estaba torturando el corazón.

La pobre mujer se obstinaba en provocar celos en su marido, mas no lo conseguía.

—¿Quieres venir conmigo a casa del conde?

—¿A qué?[18]

—¡Al té!

—¿Al té? No me duelen las tripas.[19] Porque en mis tiempos y entre los míos[20] no se tomaba esa agua sucia más que cuando le dolían a uno las tripas. ¡Buen provecho te haga![21] Y consuélale un poco al pobre conde. Allí estará también la condesa con su último amigo. ¡Vaya[22] una sociedad!

[12]*majadero* idiot [13]*A mí me había de hacer una mujer* . . . Just imagine a woman's doing to me . . . [14]*desdichado* wretch [15]*¿A mí con esas?* Do that to me? [16]*cortejar* to court, make love to [17]*fidelidad f.* faithfulness [18]*¿A qué?* Why? What for? [19]*tripas* belly [20]*en mis tiempos y entre los míos* in my day and in my family [21]*¡Buen provecho te haga!* (I hope) it does you good! [22]*Vaya* What *or* What a

IX

En tanto,[1] el conde fingía estar acongojado[2] por sus desventuras[3] domésticas para así excitar[4] la compasión de su amiga, y por la compasión llevarla al amor, y al amor culpable, a la vez que procuraba darla a entender[5] que conocía algo también de las interiori-
5 dades[6] del hogar de ella.

—Sí, Julia, es verdad; mi casa es un infierno, un verdadero infierno, y hace usted bien en compadecerme como me compadece. ¡ Ah, si nos hubiésemos conocido antes ! ¡ Antes de haberse usted entregado a ese otro hombre, a su marido . . . !

10 —¿ Y usted sabe que me habría entregado entonces a usted ?

—¡ Oh, sin duda, sin duda . . . !

—¡ Qué petulantes[7] son ustedes los hombres !

—¿ Petulantes ?

—Sí, petulantes. Ya se supone usted irresistible.

15 —¡ Yo . . . , no !

—¿ Pues quién ?

—¿ Me permite que se lo diga, Julia ?

—¡ Diga lo que quiera !

—¡ Pues bien, se lo diré ! ¡ Lo irresistible habría sido, no yo,
20 sino mi amor. ¡ Sí, mi amor !

—¿ Pero es una declaración en regla,[8] señor conde? Y no olvide que soy una mujer casada, honrada, enamorada de su marido . . .

—Eso . . .

—¿ Y se permite usted dudarlo ? Enamorada, sí, como me lo
25 oye, sinceramente enamorada de mi marido.

—Pues lo que es él . . .

—¿ Eh ? ¿ Qué es eso ? ¿ Quién le ha dicho a usted que él no me quiere ?

—¡ Usted misma !

[1]*En tanto* Meanwhile [2]*acongojado* (from *acongojar*) afflicted, grieved [3]*desventura* misfortune, unhappiness [4]*excitar* to arouse [5]*dar a entender* to let (someone) know [6]*interioridades f. pl.* the intimacies [7]*petulante* insolent, egotistical [8]*en regla* formal

— ¿ Yo ? ¿ Cuándo le he dicho yo a usted que Alejandro no me quiere ? ¿ Cuándo ?

— Me lo ha dicho con los ojos, con el gesto, con el porte . . .

— ¡ Ahora me va a salir con[9] que he sido yo quien le he estado provocando a que me haga el amor . . . ! ¡ Mire usted, señor conde, ésta va a ser la última vez que venga a mi casa !

— ¡ Por Dios, Julia !

— ¡ La última vez, he dicho !

— ¡ Por Dios, déjeme venir a verla, en silencio, a contemplarla, a enjugarme,[10] viéndola, las lágrimas que lloro hacia adentro ![11] . . .

— ¡ Qué bonito !

— Y lo que le dije, que tanto pareció ofenderla . . .

— ¿ Pareció ? ¡ Me ofendió !

— ¿ Es que puedo yo ofenderla ?

— ¡ Señor conde . . . !

— Lo que la dije, y que tanto la ofendió, fue tan sólo que, si nos hubiésemos conocido antes de haberme yo entregado a mi mujer y usted a su marido, yo la habría querido con la misma locura que hoy la quiero. ¡ Déjeme desnudarme el corazón ! Yo la habría querido con la misma locura con que hoy la quiero y habría conquistado su amor con el mío. No con mi valor, no; no con mi mérito, sino sólo a fuerza de cariño. Que no soy yo, Julia, de esos hombres que creen conquistar a la mujer por su propio mérito, por ser quienes son; no soy de esos que exigen se los quiera, sin dar, en cambio, su cariño. En mí, pobre noble venido a menos,[12] no cabe tal orgullo.

Julia absorbía lentamente y gota a gota el veneno.[13]

— Porque hay hombres — prosiguió el conde — incapaces de querer; pero que exigen que se los quiera, y creen tener derecho al amor y a la fidelidad incondicionales de la pobre mujer que se les rinde.[14] Hay quienes toman una mujer hermosa y famosa por su hermosura para llevarla al lado como podrían llevar una leona[15] domesticada, y decir: «Mi leona; ¿ veis cómo me está rendida ?» ¿ Y por eso querría a su leona ?

[9]¡*Ahora me va a salir con* Now, I suppose you're going to tell me [10]*enjugar* to dry [11]*hacia adentro* inwardly [12]*venido a menos* who has come down in the world [13]*veneno* poison [14]*rinde* (from *rendir* to surrender) [15]*leona* lioness

—Señor conde . . . , señor conde, que está usted entrando en un terreno . . .

Entonces el de Bordaviella se le acercó aún más, y casi al oído, le susurró:

5 —Donde estoy entrando es en tu conciencia, Julia.

—¡ Déjeme, por Dios, señor conde, déjeme! ¡ Si entrase él ahora . . . !

—No, él no entrará. A él no le importa nada de ti. El nos deja así, solos, porque no te quiere . . . ¡ No, no te quiere! ¡ No te 10 quiere, Julia, no te quiere!

—Es que tiene absoluta confianza en mí . . .

—¡ En ti, no! En sí mismo. ¡ Tiene absoluta confianza, ciega, en sí mismo! Cree que a él, por ser él, él, Alejandro Gómez, el que ha fraguado una fortuna . . . , no quiero saber cómo . . . , cree 15 que a él no es posible que le falte mujer alguna. A mí me desprecia, lo sé . . .

—Sí, le desprecia a usted . . .

—¡ Lo sabía! Pero tanto como a mí te desprecia a ti . . .

—¡ Por Dios, señor conde, por Dios, cállese, que me está 20 matando!

—¡ Quien te matará es él, él, tu marido, y no serás la primera!

—¡ Eso es una infamia, señor conde; eso es una infamia! ¡ Mi marido no mató a su mujer! ¡ Y váyase, váyase; váyase y no vuelva!

25 —Me voy; pero . . . volveré. Me llamarás tú.

Y se fue, dejándola malherida[16] en el alma. «¿ Tendrá razón este hombre? —se decía—. ¿ Será así? Porque él me ha revelado lo que yo no quería decirme ni a mí misma. ¿ Será verdad que me desprecia? ¿ Será verdad que no me quiere?»

[16]*malherido* badly wounded

X

Empezó a ser pasto de los cotarros de maledicencia[1] de la corte lo de las relaciones entre Julia y el conde de Bordaviella. Y Alejandro, o no se enteraba de ello, o hacía como[2] si no se enterase. A algún amigo que empezó a hacerle insinuaciones le atajó[3] diciéndole: «Ya sé lo que me va usted a decir; pero déjelo. ¿ A mí ? ¿ A mí con esas ? ¡ Hay que dejar que las mujeres románticas se hagan las interesantes !»[4] ¿ Sería un . . . ? ¿ Sería un cobarde ?

Pero una vez que en el Casino se permitió uno, delante de él, una broma de ambiguo sentido, cogió una botella y se la arrojó a la cabeza. El escándalo fue formidable.

— ¿ A mí ? ¿ A mí con bromitas de esas ?[5] — decía — . Como si no le entendiese . . . Como si no supiera las necedades que corren por ahí, entre los majaderos, a propósito de los caprichos novelescos[6] de mi pobre mujer . . . Y estoy dispuesto a cortar de raíz[7] esas hablillas . . .[8]

— Pero no así, don Alejandro — se atrevió a decirle uno.

— ¿ Pues cómo ? ¡ Dígame cómo !

— ¡ Cortando la raíz y motivo de las tales hablillas !

— ¡ Ah, ya ! ¿ Que prohiba la entrada del conde en mi casa ?

— Sería lo mejor.

— Eso sería dar la razón[9] a los maldicientes.[10] Y yo no soy un tirano. Si a mi pobre mujer le divierte el conde ese, que es un perfecto y absoluto mentecato, se lo juro a usted, es un mentecato, inofensivo, que se las echa de[11] tenorio . . . , si a mi pobre mujer le divierte, ¿ voy a quitarle la diversión porque los demás mentecatos den en[12] decir esto o lo otro ? ¡ Pues no faltaba más ! . . .

— Pero, don Alejandro, las apariencias . . .[13]

[1]*pasto de los cotarros de maledicencia* food for slander among the gossips [2]*hacer como* to pretend as [3]*atajar* to stop, cut short [4]*hacerse las interesantes* to pretend to be exciting [5]*¿A mí con bromitas de esas?* Play such little jokes on me? [6]*novelesco* novel-like, derived from novels [7]*cortar de raíz* to nip in the bud, cut off at the roots [8]*hablillas* gossip [9]*dar la razón* to prove right [10]*maldiciente m.* slanderer [11]*echárselas de* to claim to be, boast of being [12]*dar en* to happen to [13]*apariencia* appearance

—¡Yo no vivo de apariencias, sino de realidades!

Al día siguiente se presentaron en casa de Alejandro dos caballeros, muy graves, a pedirle una satisfacción en nombre del ofendido.

5 —Díganle ustedes —les contestó— que me pase la cuenta del médico y que la pagaré.

—Pero don Alejandro . . .

—¿Pues qué es lo que ustedes quieren?

—¡Nosotros, no! El ofendido exige una satisfacción . . . , una
10 explicación honrosa . . .

—No les entiendo a ustedes . . . , ¡o no quiero entenderles!

—¡Y si no, un duelo!

—¡Muy bien! Cuando quiera. Díganle que cuando quiera. Díganle que en cuanto se cure de la cabeza, quiero decir, del
15 botellazo . . . , que me avise, que iremos donde él quiera, nos encerraremos y la emprenderemos uno con otro a trompada y a patada limpias.[14] No admito otras armas. Y ya verá quién es Alejandro Gómez.

—¡Pero, don Alejandro, usted se está burlando de nosotros!
20 —exclamó uno de los padrinos.[15]

—¡Nada de eso! Ustedes son de un mundo y yo de otro. Ustedes vienen de padres ilustres. Yo, se puede decir que no he tenido padres ni tengo otra familia que la que yo me he hecho. Yo vengo de la nada, y no quiero entender esas andróminas del
25 Código del honor.[16] ¡Conque ya lo saben ustedes!

Levantáronse los padrinos, y uno de ellos, poniéndose muy solemne, con cierta energía, mas no sin respeto —que al cabo se trataba de un poderoso millonario—, exclamó:

—Entonces, señor don Alejandro Gómez, permítame que se lo
30 diga . . .

—Diga usted todo lo que quiera; pero midiendo sus palabras, que ahí tengo a la mano[17] otra botella.

—¡Entonces —y levantó más la voz—, señor don Alejandro Gómez, usted no es un caballero!

35 —¡Y claro que no lo soy, hombre, claro que no lo soy! ¡Ca-

[14]*la emprenderemos . . . a trompada y a patada limpias* we'll fight with plain punches and kicks [15]*padrino* second (in a duel) [16]*esas andróminas del Código del honor* those tricks in the honor code [17]*a la mano* at hand

ballero yo! ¿Cuándo? ¿De dónde? ¡Claro que no soy un caballero! Vamos . . . , vamos . . .

— Vámonos, sí — dijo un padrino al otro —, que aquí no hacemos ya nada. Usted, señor don Alejandro, sufrirá las consecuencias de esta conducta. 5

— Entendido.[18] Y en cuanto a ese . . . , a ese caballero de lengua desenfrenada,[19] díganle, se lo repito, que me pase la cuenta del médico, y que tenga en adelante[20] cuenta[21] con lo que dice. Y ustedes, si alguna vez — que todo pudiera ser — necesitaran algo de este millonario salvaje, sin sentido del honor caballeresco,[22] 10 pueden acudir a mí, que los serviré, como he servido y sirvo a otros caballeros.

— ¡Esto no se puede tolerar, vámonos! — exclamó uno de los padrinos.

Y se fueron. 15

XI

Aquella noche contaba Alejandro a su mujer la escena de la entrevista con los padrinos, después de haberle contado lo del botellazo,[1] y se regodeaba[2] en el relato de su hazaña.[3] Ella le oía despavorida.[4]

— ¿Caballero yo? ¿Yo caballero? — exclamaba él —. ¿Yo? 20 ¿Alejandro Gómez? ¡Nunca! ¡Yo no soy más que un hombre, pero todo un hombre, nada menos que todo un hombre!

— ¿Y yo? — dijo ella, por decir algo.

— ¿Tú? ¡Toda una mujer! ¡Y una mujer que lee novelas! ¡Y él, el condesito ese del ajedrez, un nadie, nada más que un 25 nadie! ¿Por qué te he de privar el que te diviertas con él como te divertirías con un perro faldero?[5] ¡Pues estaría bueno! ¡Diviértete con él cuando te plazca![6]

[18]*entendido* of course [19]*desenfrenado* loose, unbridled [20]*en adelante* in the future, henceforward [21]*tener cuenta con* to be careful about [22]*caballeresco* gentlemanly, knightly

[1]*lo del botellazo* the matter of the blow with a bottle [2]*regodearse* to enjoy, take pleasure [3]*hazaña* feat, exploit [4]*despavorido* frightened [5]*perro faldero* lap dog [6]*plazca* (from *placer* to please)

—Pero, Alejandro, tienen razón en lo que te dicen . . . Tienes que negarle la entrada a ese hombre . . .

—¿ Hombre ?

—Bueno. Tienes que negarle la entrada al conde de Borda-
5 viella.

—¡ Niégasela tú ! Cuando no se la niegas es que maldito lo que ha conseguido[7] ganar tu corazón. Porque si hubieras llegado a empezar a interesarte por[8] él, ya le habrías despachado para defenderte del peligro.

10 —¿ Y si estuviese interesada . . . ?

—¡ Bueno, bueno . . . ! ¡ Ya salió aquello ![9] ¡ Ya salió lo de querer darme celos ! ¿ A mí ? ¿ Pero cuándo te convencerás, mujer, de que yo no soy como los demás ?

XII

Cada vez comprendía menos[1] Julia a su marido; pero cada vez
15 se encontraba más subyugada a él y más ansiosa de asegurarse de si la quería o no. Alejandro, por su parte, aunque seguro de la fidelidad de su mujer, o mejor de que a él, a Alejandro—¡ nada menos que todo un hombre !—, no podía faltarle su mujer—¡ la suya !—diciéndose: «A esta pobre mujer le está trastornando la
20 vida de la corte y la lectura de novelas», decidió llevarla al campo. Y se fueron a una de sus dehesas.

—Una temporadita de campo te vendrá muy bien[2]—le dijo—. Por supuesto, si es que piensas aburrirte puedes invitarle al condezuelo ese[3] a que nos acompañe. Porque ya sabes que yo no tengo
25 celos, y estoy seguro de ti, de mi mujer.

Allí, en el campo, las cavilaciones[4] de la pobre Julia se exacerbaron.[5] Aburríase grandemente. Su marido no la dejaba leer.

[7]*maldito lo que ha conseguido* he hasn't succeeded the least bit in [8]*interesarse por* to become interested in [9]*ya salió aquello* now that's come out

[1]*cada vez . . . menos* less and less [2]*te vendrá muy bien* will be good for you, will suit you [3]*condezuelo ese* that silly count [4]*cavilación f.* preoccupation, worry [5]*exacerbarse* to grow worse

—Te he traído para eso, para apartarte de los libros y cortar de raíz tu neurastenia, antes de que se vuelva[6] cosa peor.

—¿Mi neurastenia?

—¡Pues claro! Todo lo tuyo no es más que eso. La culpa de todo ello la tienen los libros. 5

—¡Pues no volveré a leer más!

—No, yo no exijo[7] tanto . . . Yo no te exijo nada. ¿Soy acaso algún tirano yo? ¿Te he exigido nunca nada?

—No. ¡Ni siquiera exiges que te quiera!

—¡Naturalmente, como que eso no se puede exigir! Y, además, 10 como sé que me quieres y no puedes querer a otro . . . Después de haberme conocido y de saber, gracias a mí, lo que es un hombre, no puedes ya querer a otro, aunque te lo propusieras. Te lo aseguro yo . . . Pero no hablemos de cosas de libros. Esas son bobadas[8] para hablar con condesitos al tomar el té. 15

Vino a aumentar la congoja[9] de la pobre Julia el que[10] llegó a descubrir que su marido andaba en torpes[11] enredos[12] con una criada nada bonita. Y una noche, después de cenar, encontrándose los dos solos, la mujer dijo de pronto:

—No creas, Alejandro, que no me he percatado del lío[13] que 20 traes con la Simona . . .

—Ni yo lo he ocultado mucho. Pero eso no tiene importancia. Siempre gallina, amarga la cocina.[14]

—¿Qué quieres decir?

—Que eres demasiado hermosa para diario.[15] 25

La mujer tembló. Era la primera vez que su marido la llamaba así: hermosa. Pero, ¿la quería de veras?

—¡Pero con ese pingo![16] . . . —dijo Julia por decir algo.

—Por lo mismo.[17] Hasta su mismo desaseo[18] me hace gracia.[19] Y ahora, después de este entremés[20] rústico, apreciaré mejor tu 30 hermosura, tu elegancia y tu pulcritud.

—No sé si me estás adulando[21] o insultando.

[6]*volverse* to become [7]*exijo* (1st person sing. pres. indic. of *exigir*) [8]*bobada* foolishness [9]*congoja* pain, suffering [10]*el que* the fact that [11]*torpe* (here) lewd, lascivious [12]*enredo* entanglement [13]*lío* connection, relationship [14]*Siempre gallina, amarga la cocina.* One gets tired of anything. (*literally*, One gets tired of chicken, if one has it all the time.) [15]*para diario* for every day [16]*pingo* rag, slut [17]*Por lo mismo.* For that very reason. [18]*desaseo* slovenliness [19]*me hace gracia* amuses me [20]*entremés* entertainment [21]*adular* to flatter

— ¡ Bueno ! ¡ La neurastenia ! ¡ Y yo que te creía en camino de curación ! . . .

— Por supuesto, vosotros los hombres podéis hacer lo que se os antoje, y faltarnos . . .

— ¿ Quién te ha faltado ?

— ¡ Tú !

— ¿ A eso llamas faltarte ? ¡ Bah, bah ! ¡ Los libros, los libros ! Ni a mí se me da un pitoche de la Simona,[22] ni . . .

— ¡ Claro ! ¡ Ella es para ti como una perrita, o una gatita, o una mona ![23]

— ¡ Una mona, exacto; nada más que una mona ! Es a lo que más se parece.[24] ¡ Tú lo has dicho: una mona ! ¿ Pero he dejado por eso de ser tu marido ?

— Querrás decir que no he dejado yo por eso de ser tu mujer . . .

— Pues bueno; no creo que este incidente rústico te ponga celosa. ¿ Celos tú ? ¿ Tú ? ¿ Mi mujer ? ¿ Y de esa mona ?

— ¡ Calla, calla, calla !

La pobre Julia se echó a llorar.

— Yo creí — concluyó Alejandro — que el campo te había curado la neurastenia. ¡ Cuidado con empeorar ![25]

A los dos días de[26] esto volvíanse a la corte.

XIII

Y Julia volvió a sus congojas, y el conde de Bordaviella a sus visitas, aunque con más cautela.[1] Y ya fue ella, Julia, la que, exasperada, empezó a prestar oídos[2] a las venenosas[3] insinuaciones del amigo, pero sobre todo a hacer ostentación[4] de la amistad ante su marido, que alguna vez se limitaba a decir: «Habrá que volver al campo y someterte a tratamiento.»

[22]*Ni a mí . . . la Simona* I don't care a bit about Simona [23]*una gatita o una mona* a kitten or a monkey [24]*Es . . . parece.* That's what she most resembles. [25]¡*Cuidado con empeorar*! Be careful not to get worse! [26]*A los dos días de* Two days after

[1]*cautela* caution [2]*prestar oídos* to listen [3]*venenoso* poisonous [4]*hacer ostentación* to flaunt

Un día, en el colmo[5] de la exasperación, asaltó[6] Julia a su marido, diciéndole:

— ¡ Tú no eres un hombre, Alejandro, no, no eres un hombre !

— ¿ Quién, yo ? ¿ Y por qué ?

— No, no eres un hombre, no lo eres. 5

— Explícate.

— Ya sé que no me quieres; que no te importa de mí nada; que no soy para ti ni la madre de tu hijo; que no te casaste conmigo nada más que por vanidad, por exhibirme, por . . .

— ¡ Bueno, bueno; ésas son novelerías ![7] ¿ Por qué no soy 10 hombre ?

— Ya sé que no me quieres . . .

— Ya te he dicho cien veces que eso de querer y no querer, y amor, y todas esas andróminas, son conversaciones de té danzante.[8]

— Ya sé que no me quieres . . . 15

— Bueno, ¿ y qué más ? . . .

— Pero eso de que consientas que el conde, el michino,[9] como tú le llamas, entre aquí a todas horas . . .

— ¡ Quien lo consiente eres tú !

— ¿ Pues no he de consentirlo, si es mi amante ? Ya lo has oído, 20 mi amante. ¡ El michino es mi amante !

Alejandro permanecía impasible[10] mirando a su mujer. Y ésta, que esperaba un estallido[11] del hombre gritó:

— ¿ Y qué ? ¿ No me matas ahora como a la otra ?

— Ni es verdad que maté a la otra, ni es verdad que el michino 25 sea tu amante. Estás mintiendo para provocarme. Quieres convertirme en un Otelo.[12] Y mi casa no es teatro. Y si sigues así, va a acabar todo ello en volverte loca[13] y en que tengamos que encerrarte.

— ¿ Loca ? ¿ Loca yo ? 30

— ¡ De remate ![14] ¡ Llegarse a creer que tiene un amante ! ¡ Es decir, querer hacérmelo creer ! ¡ Como si mi mujer pudiese faltarme a mí ! ¡ A mí ! Alejandro Gómez no es ningún michino;

[5]*colmo* height [6]*asaltar* to attack, assault [7]*novelería* fiction, thing out of a novel [8]*té danzante m.* tea-dance [9]*michino* kitty [10]*impasible* impassive [11]*estallido* explosion, outburst [12]*Otelo* Othello, protagonist of Shakespeare's play, a man who righteously punishes the (supposed) infidelity of his wife [13]*volver loco* drive crazy [14]*de remate* utterly, hopelessly

¡ es nada menos que todo un hombre ! Y no, no conseguirás lo que buscas. Mi casa no es un teatro.

— ¡ Cobarde ! ¡ Cobarde ! ¡ Cobarde ! — gritó ya Julia, fuera de sí —.[15] ¡ Cobarde !

5 — Aquí va a haber que tomar medidas[16] — dijo el marido.

Y se fue.

XIV

A los dos días de esta escena, y después de haberla tenido encerrada a su mujer durante ellos, Alejandro la llamó a su despacho. La pobre Julia iba aterrada.[1] En el despacho la esperaban, con su 10 marido, el conde de Bordaviella y otros dos señores.

— Mira, Julia — le dijo con terrible calma su marido —. Estos dos señores son dos médicos alienistas,[2] que vienen, a petición mía,[3] a informar sobre tu estado para que podamos ponerte en cura.[4] Tú no estás bien de la cabeza, y en tus ratos lúcidos debes 15 comprenderlo así.

— ¿ Y qué haces tú aquí, Juan ? — preguntó Julia al conde, sin hacer caso a su marido.

— ¿ Lo ven ustedes ? — dijo éste dirigiéndose a los médicos —. Persiste en su alucinación;[5] se empeña en que este señor es . . .

20 — ¡ Sí, es mi amante ! — le interrumpió ella —. Y si no, que lo diga él.[6]

El conde miraba al suelo.

— Ya ve usted, señor conde — dijo Alejandro al de Bordaviella —, cómo persiste en su locura. Porque usted no ha tenido, 25 no ha podido tener, ningún género de esas relaciones con mi mujer . . .

— ¡ Claro que no ![7] — exclamó el conde.

[15]*fuera de sí* beside herself (because of emotion) [16]*va a haber que tomar medidas* it is going to be necessary to take measures (action)

[1]*aterrado* terrified [2]*alienista* alienist, psychiatric [3]*a petición mía* at my request [4]*ponerte en cura* begin to cure you [5]*alucinación f.* hallucination [6]*si no, que lo diga él* if (you) don't (believe me), let him speak (i.e., ask him) [7]*Claro que no* Of course not

—¿Lo ven ustedes? —añadió Alejandro volviéndose[8] a los médicos.

—Pero cómo —gritó Julia—, ¿te atreves tú, tú, Juan, tú, mi michino, a negar que he sido tuya?

El conde temblaba bajo la mirada fría de Alejandro, y dijo: 5

—Repórtese,[9] señora, y vuelva en sí.[10] Usted sabe que nada de eso es verdad. Usted sabe que si yo frecuentaba esta casa era como amigo de ella, tanto de su marido como[11] de usted misma, señora, y que yo, un conde de Bordaviella, jamás afrentaría así a un amigo como . . . 10

—Como yo —le interrumpió Alejandro—. ¿A mí? ¿A mí? ¿A Alejandro Gómez? Ningún conde puede afrentarme, ni puede mi mujer faltarme. Ya ven ustedes, señores, que la pobre está loca . . .

—¿Pero también tú, Juan? ¿También tú, michino? —gritó 15 ella—. ¡Cobarde! ¡Cobarde! ¡Cobarde! ¡Mi marido te ha amenazado, y por miedo, por miedo, cobarde, cobarde, cobarde, no te atreves a decir la verdad y te prestas a esta farsa infame para declararme loca! ¡Cobarde, cobarde! Y tú también, como mi marido . . . 20

—¿Lo ven ustedes, señores? —dijo Alejandro a los médicos.

La pobre Julia sufrió un ataque, y quedó como deshecha.[12]

—Bueno; ahora, señor mío —dijo Alejandro dirigiéndose al conde—, nosotros nos vamos, y dejemos que estos dos señores, a solas con mi pobre mujer, completen su reconocimiento. 25

El conde le siguió. Y ya fuera de la estancia, le dijo Alejandro:

—Conque ya lo sabe usted, señor conde: o mi mujer resulta loca, o les levanto a usted y a ella las tapas de los sesos.[13] Usted escogerá. 30

—Lo que tengo que hacer es pagarle lo que le debo, para no tener más cuentas con usted.[14]

—No; lo que debe hacer es guardar la lengua.[15] Conque que-

[8]*volviéndose a* turning to [9]*reportarse* to control oneself [10]*volver en sí* to come to one's senses [11]*tanto . . . como* both . . . and [12]*quedó como deshecha* fainted [13]*les levanto a usted y a ella las tapas de los sesos* I'll blow out your brains as well as hers [14]*tener más cuentas con usted* to have any more to do with you [15]*guardar la lengua* to keep quiet

damos en que mi mujer está loca de remate y usted es un tonto. ¡ Y ojo con ésta ![16] — y le enseñó una pistola.

Cuando, algo después, salían los médicos del despacho de Alejandro, decíanse:

5 — Esta es una tremenda tragedia. ¿ Y qué hacemos ?

— ¿ Qué vamos a hacer sino declararla loca ? Porque, de otro modo, ese hombre la mata a ella y le mata a ese desdichado conde.

— Pero, ¿ y la conciencia profesional ?

— La conciencia consiste aquí en evitar un crimen mayor.

10 — ¿ No sería mejor declararle loco a él, a don Alejandro ?

— No, él no es loco: es otra cosa.

— Nada menos que todo un hombre, como dice él.

— Pobre mujer. Lo que yo me temo es que acabe por volverse de veras loca.

15 — Pues con declararla tal, acaso la salvamos. Por lo menos se la apartaría de esta casa.

Y, en efecto, la declararon loca. Y con esa declaración fue encerrada por su marido en un manicomio.[17]

XV

Toda una noche espesa y fría, sin estrellas, cayó sobre el alma 20 de la pobre Julia al verse encerrada en el manicomio. El único consuelo que le dejaban es el de que le llevaran casi a diario[1] a su hijito para que lo viera. Tomábalo en brazos y le bañaba la carita con sus lágrimas. Y el pobrecito niño lloraba sin saber por qué.

— ¡ Ay, hijo mío, hijo mío ! — le decía —. ¡ Si pudiese sacarte 25 toda la sangre de tu padre ! . . . ¡ Porque es tu padre !

Y a solas se decía la pobre mujer, sintiéndose al borde de la locura: « ¿ Pero no acabaré por volverme de veras loca en esta casa, y creer que no fue sino un sueño y alucinación lo de mi trato con ese infame conde ? ¡ Cobarde, sí, cobarde ! ¡ Abandonarme así ! 30 ¡ Dejar que me encerraran aquí ! ¡ El michino, sí, el michino !

[16]*ojo con ésta* beware of this [17]*manicomio* insane asylum
[1]*a diario* daily

Tiene razón mi marido. Y él, Alejandro, ¿por qué no nos mató? ¡Ah, no! ¡Esta es más terrible venganza! ¡Matarle a ese michino! No, humillarle, hacerle mentir y abandonarme. ¡Temblaba ante mi marido, sí, temblaba ante él! ¡Ah, es que mi marido es un hombre! ¿Y por qué no me mató? ¡Otelo me habría matado! Pero Alejandro no es Otelo, no es tan bruto como Otelo. Otelo era un moro[2] impetuoso, pero poco inteligente. Y Alejandro ... Alejandro tiene una poderosa inteligencia al servicio de su infernal soberbia.[3] No, ese hombre no necesitó matar a su primera mujer; la hizo morir. Se murió ella de miedo ante él. ¿Y a mí me quiere?»

Y allí, en el manicomio, dio otra vez en trillar[4] su corazón y su mente con el dilema: «¿Me quiere, o no me quiere?» Y se decía luego: «¡Yo sí que le quiero! ¡Y ciegamente!»

Y por temor a enloquecer[5] de veras, se fingió curada, asegurando que habían sido alucinaciones lo de su trato con el de Bordaviella. Avisáronselo al marido.

Un día llamaron a Julia adonde su marido la esperaba. Entró él, y se arrojó[6] a sus pies sollozando:[7]

—¡Perdóname, Alejandro, perdóname!

—Levántate, mujer—y la levantó.

—¡Perdóname!

—¿Perdonarte? ¿Pero de qué? Si[8] me habían dicho que estabas ya curada..., que se te habían quitado las alucinaciones...

Julia miró a la mirada fría y penetrante de su marido con terror. Con terror y con un loco cariño.

—Sí, tienes razón, Alejandro, tienes razón; he estado loca, loca de remate. Y por darte celos,[9] nada más que por darte celos, inventé aquellas cosas. Todo fue mentira. ¿Cómo iba a faltarte yo? ¿Yo? ¿A ti? ¿A ti? ¿Me crees ahora?

—Una vez, Julia—le dijo con voz de hielo su marido—, me preguntaste si era o no verdad que yo maté a mi primera mujer. Y, por contestación, te pregunté yo a mi vez[10] que si podías creerlo. ¿Y qué me dijiste?

[2]*moro* Moor [3]*soberbia* pride, haughtiness [4]*trillar* to thrash, beat, torture [5]*enloquecer* to go mad [6]*ella* is understood as subject of this verb. [7]*sollozar* to sob [8]*Si* (here) Why ... [9]*dar celos* to make jealous [10]*a mi vez* in my turn

—¡Que no lo creía, que no podía creerlo!

—Pues ahora yo te digo que no creí nunca, que no pude creer que tú te hubieses entregado al michino ese. ¿Te basta?

Julia temblaba, sintiéndose al borde de la locura; de la locura del terror y de amor fundidos.

—Y ahora—añadió la pobre mujer abrazando a su marido y hablándole al oído—; ahora, Alejandro, dime, ¿me quieres?

Y entonces vio en Alejandro, su pobre mujer, por vez primera, algo que nunca antes en él viera;[11] le descubrió un fondo del alma terrible y hermética. Fue como si un relámpago[12] de luz alumbrase por un momento el lago negro de aquella alma. Y fue que vio asomar dos lágrimas en los ojos fríos de aquel hombre. Y estalló:

—¡Pues no he de quererte,[13] hija mía, pues no he de quererte! ¡Con toda el alma, y con toda la sangre, y con todas las entrañas; más que a mí mismo! Al principio, cuando nos casamos, no. ¿Pero ahora? ¡Ahora, sí! Ciegamente, locamente. Soy yo tuyo más que tú mía.

Y besándola con una furia animal, encendido, como loco, balbuceaba:[14] «¡Julia! ¡Julia! ¡Mi diosa! ¡Mi todo!»

Ella creyó volverse loca al ver desnuda el alma de su marido.

—Ahora quisiera morirme, Alejandro—le murmuró al oído, reclinando la cabeza sobre su hombro.

A estas palabras, el hombre pareció despertar y volver en sí como de un sueño, y como si se hubiese tragado con los ojos, ahora otra vez fríos y cortantes, aquellas dos lágrimas, dijo:

—Esto no ha pasado, ¿eh, Julia? Ya lo sabes; pero yo no he dicho lo que he dicho . . . ¡Olvídalo!

—¿Olvidarlo?

—¡Bueno, guárdatelo, y como si no lo hubieses oído!

—Lo callaré . . .

—¡Cállatelo a ti misma!

—Me lo callaré; pero . . .

—¡Basta!

—Pero, por Dios, Alejandro, déjame un momento, un momento siquiera . . . ¿Me quieres por mí, por mí, y aunque fuese de otro, o por ser yo cosa tuya?

[11]*viera* had seen [12]*relámpago* lightning flash [13]*no he de quererte* of course I love you [14]*balbucear* to stammer, speak with emotion

— Ya te he dicho que lo debes olvidar. Y no me insistas, porque si insistes, te dejo aquí. He venido a sacarte; pero has de salir curada.

— ¡ Y curada estoy ! — afirmó la mujer.

Y Alejandro se llevó su mujer a su casa. 5

XVI

Pocos días después de haber vuelto Julia del manicomio, recibía el conde de Bordaviella, no una invitación, sino un mandato de Alejandro para ir a comer a su casa.

«Como ya sabrá usted, señor conde — le decía en una carta —, mi mujer ha salido del manicomio completamente curada; y como 10 la pobre, en la época de su delirio, le ofendió a usted gravemente, aunque sin intención ofensiva, suponiéndole capaz de infamias de que es usted, un perfecto caballero, absolutamente incapaz, le ruega que venga pasado mañana,[1] jueves, a acompañarnos a comer, para darle las satisfacciones que a un caballero, como es usted, se 15 le deben. Mi mujer se lo ruega y yo se lo ordeno. Porque si usted no viene ese día a recibir esas satisfacciones y explicaciones, sufrirá las consecuencias de ello. Y usted sabe bien de lo que es capaz

Alejandro Gómez.» 20

El conde de Bordaviella llegó a la cita pálido, tembloroso. Se habló de todas las mayores frivolidades entre las bromas más espesas y feroces de Alejandro. Julia le acompañaba. Después de los postres, Alejandro, dirigiéndose al criado, le dijo: «Trae el té.»

— ¿ Té ? — se le escapó al conde. 25

— Sí, señor conde — le dijo el señor de la casa —. Y no es que me duelan las tripas, no. El té va muy bien con las satisfacciones entre caballeros.

Y volviéndose al criado: «¡ Retírate !»

Quedáronse los tres solos. El conde temblaba. No se atrevía a 30 probar el té.

[1]*pasado mañana* the day after tomorrow

—Sírveme a mí primero, Julia—dijo el marido—. Y yo lo tomaré antes para que vea usted, señor conde, que en mi casa se puede tomar todo con confianza.

—Pero si yo . . .

5 —No, señor conde; aunque yo no sea un caballero, ni mucho menos, no he llegado aún a eso. Y ahora mi mujer quiere darle a usted unas explicaciones.

Alejandro miró a Julia, y ésta, lentamente, empezó a hablar. Estaba espléndidamente hermosa.

10 —He hecho que mi marido le llame, señor conde—dijo Julia—, porque tengo que darle una satisfacción por haberle ofendido gravemente.

—¿ A mí, Julia ?

—¡ No me llame usted Julia ! Sí, a usted. Cuando me puse loca, 15 loca de amor por mi marido, buscando a toda costa asegurarme de si me quería o no, quise tomarle a usted de instrumento para excitar sus celos, y en mi locura llegué a acusarle a usted de haberme seducido. Y esto fue un embuste,[2] y habría sido una infamia de mi parte si yo no hubiese estado, como estaba, loca. ¿ No es 20 así, señor conde ?

—Sí, así es, doña Julia . . .

—Señora de Gómez—corrigió Alejandro.

—Lo que le atribuí[3] entonces fue una acción infame, indigna[4] de un caballero como usted . . .

25 —¡ Muy bien—agregó Alejandro—, muy bien ! Acción infame, indigna de un caballero; ¡ muy bien !

—Y aunque, como le repito, se me puede y debe excusar en atención a[5] mi estado de entonces, yo quiero, sin embargo, que usted me perdone. ¿ Me perdona ?

30 —Sí, sí; le perdono a usted todo; les perdono a ustedes todo—suspiró el conde más muerto que vivo y ansioso de escapar cuanto antes[6] de aquella casa.

—¿ A ustedes ?—le interrumpió Alejandro—. A mí no me tiene usted nada que perdonar.

35 —¡ Es verdad, es verdad !

[2]*embuste m.* fib, lie [3]*atribuir* to ascribe, impute, attribute [4]*indigno* unworthy [5]*en atención a* in view of, because of [6]*cuanto antes* as soon as possible

—Vamos, cálmese —continuó el marido—, que le veo a usted agitado. Tome otra taza de té. Vamos, Julia, sírvele otra taza al señor conde.

—No . . . , no . . .

—Pues bueno, ya que mi mujer le dijo lo que tenía que decirle, y usted le ha perdonado su locura, a mí no me queda sino rogarle que siga usted honrando nuestra casa con sus visitas. Después de lo pasado, usted comprenderá que sería de muy mal efecto que interrumpiéramos nuestras relaciones. Y ahora que mi mujer está ya, gracias a mí, completamente curada, no corre usted ya peligro alguno con venir acá. Y en prueba de mi confianza en la total curación de mi mujer, ahí les dejo a ustedes dos solos, por si[7] ella quiere decirle algo que no se atreve a decírselo delante de mí, o que yo, por delicadeza, no deba oír.

Y se salió Alejandro, dejándolos cara a cara y a cuál de los dos[8] más sorprendidos de aquella conducta. «¡Qué hombre!», pensaba él, el conde, y Julia: «¡Este es un hombre!»

Siguióse un silencio. Julia y el conde no se atrevían a mirarse. El de Bordaviella miraba a la puerta por donde saliera[9] el marido.

—No —le dijo Julia—, no mire usted así; no conoce usted a mi marido, a Alejandro. No está detrás de la puerta espiando lo que digamos.

—¡Qué sé yo . . . ![10] Hasta es capaz de traer testigos . . .

—¿Por qué dice usted eso, señor conde?

—¿Es que no me acuerdo de cuando trajo a los dos médicos en aquella horrible escena en que me humilló cuanto más se puede[11] y cometió la infamia de hacer que la declarasen a usted loca?

—Y así era la verdad, porque si no hubiese estado yo entonces loca, no habría dicho, como dije, que era usted mi amante . . .

—Pero . . .

—¿Pero qué, señor conde?

—¿Es que quieren ustedes declararme a mí loco o volverme tal?[12] ¿Es que va usted a negarme, Julia . . . ?

—¡Doña Julia o señora de Gómez!

[7]*por si* in case [8]*a cuál de los dos* (who knows) which of the two [9]*saliera* had left [10]*¡Qué sé yo!* I don't know! [11]*cuanto más se puede* as much as is possible [12]*volverme tal* to drive me so (i.e., crazy)

— ¿ Es que va usted a negarme, señora de Gómez, que, fuese por lo que fuera,[13] acabó usted aceptando mi amor . . . ?

— ¡ Señor conde !

— ¿ Que acabó, no sólo aceptándolo, sino que era usted la que provocaba y que aquello iba . . . ?

— Ya le he dicho a usted, señor conde, que estaba entonces loca, y no necesito repetírselo.

— ¿ Va usted a negarme que empezaba yo a ser su amante ?

— Vuelvo a repetirle que estaba loca.

— No se puede estar ni un momento más en esta casa. ¡ Adiós !

El conde tendió la mano a Julia, temiendo que se la rechazaría. Pero ella se la tomó y le dijo:

— Conque ya sabe usted lo que le ha dicho mi marido. Usted puede venir acá cuando quiera, y ahora que estoy yo, gracias a Dios y a Alejandro, completamente curada, curada del todo, señor conde, sería de mal efecto que usted suspendiera sus visitas.

— Pero, Julia . . .

— ¿ Qué ? ¿ Vuelve usted a las andadas ?[14] ¿ No le he dicho que estaba entonces loca ?

— A quien le van a volver ustedes loco, entre su marido y usted, es a mí . . .

— ¿ A usted ? ¿ Loco a usted ? No me parece fácil . . .[15]

— ¡ Claro ! ¡ El michino !

Julia se echó a reír. Y el conde salió de aquella casa decidido a no volver más a ella.

XVII

Todas estas tormentas de su espíritu quebrantaron la vida de la pobre Julia, y se puso gravemente enferma, enferma de la mente. Ahora sí que parecía de veras que iba a enloquecer. Caía con frecuencia en delirios, en los que llamaba a su marido con las más

[13]*fuese por lo que fuera* whatever the reason was [14]*volver a las andadas* to go back to (one's) old tricks, start all over again [15]*No me parece fácil* It doesn't seem to me likely

ardientes y apasionadas[1] palabras. Y el hombre se entregaba a los transportes dolorosos de su mujer procurando calmarla. «¡ Tuyo, tuyo, tuyo, sólo tuyo y nada más que tuyo !», le decía al oído, mientras ella, abrazada a su cuello, se lo apretaba casi a punto de[2] ahogarlo. 5

La llevó a la dehesa a ver si el campo la curaba. Pero el mal la iba matando.

Cuando el hombre de fortuna vio que la muerte le iba a arrebatar[3] su mujer, entró en un furor[4] frío y persistente. Llamó a los mejores médicos. «Todo era inútil», le decían. 10

— ¡ Sálvemela usted ! — le decía al médico.

— ¡ Imposible, don Alejandro, imposible !

— ¡ Sálvemela usted, sea como sea ![5] ¡ Toda mi fortuna, todos mis millones por ella, por su vida !

— ¡ Imposible, don Alejandro, imposible ! 15

— ¡ Mi vida, mi vida por la suya ! ¿ No sabe usted hacer eso de la transfusión de la sangre ? Sáqueme toda la mía y désela a ella. Vamos, sáquemela.

— ¡ Imposible, don Alejandro, imposible !

— ¿ Cómo imposible ? ¡ Mi sangre, toda mi sangre por ella ! 20

— ¡ Sólo Dios puede salvarla !

— ¡ Dios ! ¿ Dónde está Dios ? Nunca pensé en Él.

Y luego a Julia, su mujer, pálida, pero cada vez más hermosa, hermosa con la hermosura de la inminente muerte, le decía:

— ¿ Dónde está Dios, Julia ? 25

Y ella, señalándoselo con la mirada hacia arriba, le dijo:

— ¡ Ahí le tienes !

Alejandro miró al crucifijo[6] que estaba a la cabecera[7] de la cama de su mujer, lo cogió, y, apretándolo en el puño,[8] le decía: «Sálvamela, sálvamela y pídeme todo, todo, todo; mi fortuna toda, 30 mi sangre toda, yo todo . . . todo yo.»

Julia sonreía. Aquel furor ciego de su marido le estaba llenando de una luz dulcísima el alma. ¡ Qué feliz era al cabo ! ¿ Y dudó nunca[9] de que aquel hombre la quisiese ?

[1]*apasionado* impassioned [2]*a punto de* to the point of [3]*arrebatar* to carry off, snatch away [4]*furor m.* rage, fury [5]*sea como sea* in whatever way (you can) [6]*crucifijo* crucifix [7]*cabecera* head (of a bed) [8]*puño* fist [9]*nunca* (here) ever

Y la pobre mujer iba perdiendo la vida gota a gota. Y entonces el marido se acostó con ella y la abrazó fuertemente, y quería darle todo su calor, el calor que se le escapaba a la pobre. Y le quiso dar su aliento. Estaba como loco. Y ella sonreía.

5 —Me muero, Alejandro, me muero.

—¡No, no te mueres—le decía él—, no puedes morirte!

—¿Es que no puede morirse tu mujer?

—No; mi mujer no puede morirse. Antes me moriré yo. A ver, que venga la muerte, que venga. ¡A mí! ¡A mí la muerte![10]
10 ¡Que venga!

—¡Ay, Alejandro, ahora lo doy todo por bien padecido . . . ![11] ¡Y yo que dudé de que me quisieras . . . !

—¡Y no, no te quería, no! Eso de querer, te lo he dicho mil veces, Julia, son tonterías de libros. ¡No te quería, no!
15 ¡Amor . . . , amor! Y esos miserables cobardes, que hablan de amor, dejan que se les mueran sus mujeres. No, no es querer . . . No te quiero . . .

—¿Pues qué?—preguntó Julia . . . volviendo a ser presa de su vieja congoja.

20 —No, no te quiero . . . ¡Te . . . te . . . te . . . , no hay palabra! —estalló en secos sollozos.

—¡Alejandro!

Y en esta débil llamada[12] había todo el triste júbilo[13] del triunfo.

—¡Y no, no te morirás; no te puedes morir; no quiero que te
25 mueras! ¡Mátame, Julia, y vive! ¡Vamos, mátame, mátame!

—Sí, me muero . . .

—¡Y yo contigo!

—¿Y el niño, Alejandro?

—Que se muera también. ¿Para qué le quiero sin ti?

30 —Por Dios, por Dios, Alejandro, que estás loco . . .

—Sí, yo, yo soy el loco, yo el que estuve siempre loco . . . , loco de ti, Julia, loco por ti . . . Yo, yo el loco. ¡Y mátame, llévame contigo!

—Si pudiera . . .

35 —Pero no, mátame y vive, y sé tuya . . .[14]

[10]*¡A mí la muerte!* Death, come to me! [11]*lo doy todo por bien padecido* I consider all (my) suffering worth while [12]*llamada* call [13]*júbilo* joy [14]*sé tuya* be yours

— ¿ Y tú ?

— ¿ Yo ? ¡ Si no puedo ser tuyo, de la muerte ![15]

Y la apretaba más y más, queriendo retenerla.[16]

— Bueno, y al fin, dime, ¿ quién eres, Alejandro ? — le preguntó al oído Julia. 5

— ¿ Yo ? ¡ Nada más que tu hombre . . . , el que tú me has hecho !

Poco después sintió Alejandro que no tenía entre sus brazos de atleta[17] más que un despojo.[18] En su alma era noche cerrada. Se levantó y quedóse mirando a la yerta[19] hermosura. Nunca la vio 10 tan espléndida. Parecía bañada por la luz del alba eterna de después de la última noche.[20] Y por encima de aquel recuerdo en carne ya fría sintió pasar, como una nube de hielo, su vida toda, aquella vida que ocultó a todos, hasta a sí mismo. Y llegó a su niñez terrible y a cómo se estremecía[21] bajo los despiadados[22] golpes del 15 que pasaba por[23] su padre, y cómo maldecía de él, y cómo una tarde, exasperado, cerró el puño,[24] delante de un Cristo de la iglesia de su pueblo.

Salió al fin del cuarto, cerrando tras sí la puerta. Y buscó al hijo. El pequeñuelo[25] tenía poco más de tres años. Lo cogió el 20 padre y se encerró con él. Empezó a besarlo con frenesí.[26] Y el niño, que no estaba hecho a[27] los besos de su padre, que nunca recibiera[28] uno de él, y que acaso adivinó la salvaje[29] pasión que los llenaba, se echó a llorar.

— ¡ Calla, hijo mío, calla ! ¿ Me perdonas lo que voy a hacer ? 25 ¿ Me perdonas ?

El niño callaba, mirando despavorido al padre, que buscaba en sus ojos, en su boca, en su pelo, los ojos, la boca, el pelo de Julia.

— ¡ Perdóname, hijo mío, perdóname !

Se encerró un rato en arreglar su última voluntad. Luego se 30 encerró de nuevo con su mujer, con lo que fue su mujer.

(*sé*, imperative of *ser*), i.e., belong only to yourself [15]*¡ Si . . . de la muerte!* If I can't be yours, let me be death's! [16]*retener* to retain, hold [17]*atleta m.* athlete [18]*despojo* remains [19]*yerto* stiff, rigid [20]*la última noche* the last judgment [21]*estremecerse* to shake, tremble [22]*despiadado* pitiless [23]*pasar por* to appear to be [24]*cerrar el puño* to shake (one's) fist [25]*pequeñuelo* little fellow [26]*frenesí m.* frenzy [27]*no estaba hecho a* wasn't used to [28]*recibiera* had received [29]*salvaje* savage

—Mi sangre por la tuya—le dijo, como si le oyera, Alejandro—. La muerte te llevó. ¡Voy a buscarte!

Creyó un momento ver sonreír a su mujer y que movía los ojos. Empezó a besarla frenéticamente por si así la resucitaba, a llamarla. 5 Estaba fría.

Cuando más tarde tuvieron que forzar[30] la puerta de la alcoba mortuoria,[31] encontráronlo abrazado a su mujer y blanco del frío último.

[30]*forzar* to force open [31]*mortuorio* mortuary, belonging to the dead

EJERCICIOS

I–II
(*pages 63–69*)

I. Translate these sentences, paying special attention to the italicized portions of each.

1. Era agente de negocios, y éstos le *iban de mal en peor.* 2. Tenía un hijo pero *hacía tiempo que ignoraba* su paradero. 3. Pues *lo que aquí hace falta* es que vigiles a Julia. 4. *¿No he de poder tener un novio*, como le tienen las demás? 5. *Lo primero* es empezar. 6. Pero mira, tiene razón tu padre: si sigues así, *no* harás *más que* desacreditarte. 7. Y *se pusieron a* concertar la huída. 8. —Mira, hija mía—le dijo, al fin, a Julia su padre—, he dejado pasar eso de tus dos novios, y no he tomado las medidas que *debiera.* 9. Te advierto que no voy a tolerar *más tonterías de ésas.* 10. *Sabíase sólo* que, *siendo muy niño,* había sido llevado por sus padres a Cuba. 11. *Los que* le trataban *teníanle por* hombre ambicioso y de vastos proyectos. 12. —Con dinero *se va a todas partes*—solía decir.

II. The following idioms appear in the text. Translate them; then use ten of them in Spanish sentences.

1. dormirse 2. la última carta que le quedaba por jugar 3. echarse novios 4. darse cuenta 5. por desgracia 6. llegar a quererse 7. hay que tratarse antes 8. ni contigo ni con tu padre se puede 9. enterarse de 10. yo, Julia Yáñez, ¡nada menos que yo! 11. en cuanto a tu padre 12. conque 13. por entonces 14. por muchos millones que tenga 15. a solas

III. Personal pronouns as objects of verbs. In each sentence, determine whether the italicized object pronoun is a direct or indirect object form and give its meaning:

1. «¡Tu hermosura *te* perderá!» 2. Era agente de negocios, y éstos *le* iban de mal en peor. 3. La última carta que *le* quedaba por jugar era la hija. 4. Todo depende de cómo se *nos* case o de cómo *la* casemos. 5. Si hace una tontería, y me temo que *la* haga, estamos perdidos. 6. «*Me* quiere vender—se decía—, para salvar sus negocios. 7. —Mira, por Dios, hija mía—*le*

dijo su madre —. 8. ¿No he de poder tener un novio, como *le* tienen las demás? 9. — Mira, Julia, — *le* dijo Pedro. 10. — Eso *díselo* a tu padre.

III–V
(*pages 69–73*)

I. Translate these sentences, paying special attention to the italicized portions of each.

1. ¿Y qué *piensas* hacer? 2. ¡Pues *qué he de hacer!* 3. Y *hubo* unos días de silencio y de calladas cóleras en la casa. 4. ¿De modo que, *quieras que no*, soy ya suya? 5. *¡Qué* generoso! 6. — Parece que *está usted mala*, Julia — dijo él. 7. ¡Pero no, *no seré de usted* . . . sino muerta! 8. Puede usted hacer de mí *lo que quiera*. 9. — *¿Qué quieres decir* con eso? — preguntó él. 10. *¿Estará* de veras *enamorado* de mí?

II. The following idioms appear in the text. Translate them; then use ten of them in Spanish sentences.

1. luego que 2. ¿Y qué? 3. en serio 4. a los pocos días de 5. de rodillas 6. dentro de poco 7. pues bien 8. es decir 9. de modo que 10. a la vez que 11. algo así como 12. para con 13. de todos modos 14. del todo

III. Possessive Adjectives and Pronouns. The following sentences taken from the text of these chapters, contain examples of the possessive adjectives and pronouns. Give the English meanings of each italicized item.

1. — ¿Sabes, padre — le dijo un día *al suyo* Julia — . . . ? 2. Don Victorino atravesó una mirada a *su* hija y se salió sin decirle palabra. 3. Julia había escrito a *su* nuevo pretendiente una carta contestación. 4. «Usted acabará siendo *mía*.» 5. «¡Este es un hombre! ¿Será mi redentor? ¿Seré yo *su* redentora? 6. Mira, hija *mía*. 7. *Tu* hermosura ha sido *mi* escudo. 8. — Que dependo de él, que dependemos de él, que vivo a *sus* expensas, que vives tú misma a sus expensas. 9. ¿De modo que, quieras que no, soy ya *suya?* 10. — Serás *mía*, Julia, serás mía . . . —.

IV. Retell Chapters I–V in your own words. Try to use the grammar constructions discussed in these chapters and as many of the idioms as possible.

VI–VII
(*pages 73–78*)

I. Translate these sentences, paying special attention to the italicized portions of each.

1. *Los más de los que* frecuentaban su casa, aristócratas de blasón no pocos, antojábaselo a Julia que debían ser deudores de su marido. 2. *A ella no le faltaba nada;* podía satisfacer hasta sus menores caprichos. 3. «¿ Me quiere, o no me quiere ? — *se preguntaba.* 4. Y poco a poco *se le iba formando alma de esclava de harén*, de esclava favorita, de única esclava. 5. *Yo me he hecho solo.* 6. — Otra cosa *querría preguntarte*, Alejandro, pero no me atrevo. — 7. *Quien* me quiere como me quieres tú no puede creer esas patrañas. 8. Me casé en Méjico, *siendo yo un mozo.* 9. Me casé con una mujer inmensamente rica y *mucho mayor* que yo. 10. *Ella no se dio cuenta del* origen de su temblor. 11. *Habría sido* una absoluta necedad. 12. *Ha habido maridos,* sin embargo, que han matado a sus mujeres. 13. Tú no podías *no habérmelo dado.* 14. «¡ Mi obra ! *¿ Cuál sería la obra* de aquel hombre ?»

II. The following idioms appear in the text. Translate them; then use ten of them in Spanish sentences.

1. merced a 2. dar dinero a préstamos 3. empeñarse 4. desde Adán acá 5. en cambio 6. ella, a su vez 7. o . . . o 8. pensar en 9. ser de 10. percatarse de 11. hacer cuenta 12. no faltaba más 13. a la vez que 14. claro que 15. disfrutar de 16. sin embargo 17. celos 18. oponerse a 19. lejos de 20. otra vez

III. Commands. Direct affirmative commands with *tú* or *vosotros* are expressed as follows: the form used with *tú* is identical to the third person singular of the present tense (*¡ habla !*); the form used with *vosotros* is the same as the infinitive except that a "d" replaces the final "r" (*¡ hablad !*). Negative direct commands with *tú* and *vosotros* are expressed by the appropriate present subjunctive forms (*¡ no hables ! ¡ no habléis !*). Direct commands with *Vd.* or *Vds.*, whether affirmative or negative, are expressed by the third person forms of the subjunctive (*¡ hable* usted ! *¡ hablen* ustedes !). First person plural commands, which include the speaker in the command, are also expressed in the subjunctive (*¡ hablemos !* let us speak). The following examples are chosen from the text of these chapters. Note the meaning of each.

1. Pues *lee* cuantas quieras. 2. *Mira*, si te empeñas, hago construir en ese solar que hay ahí al lado un gran pabellón para biblioteca. 3. Pero es mía, y sólo mía; conque . . . *¡ rabiad!* 4. ¿Pero y tus padres? *Haz* cuenta que no los he tenido. 5. Bueno, *pregunta* y *acabemos*. 6. *¡ Pregúntamelo !* (note position of object pronouns) 7. *No digas* esas cosas. *Hablemos* de otras.

VIII–IX
(*pages 78–82*)

I. Translate these sentences, paying special attention to the italicized portions of each.

1. El conde *solía ir* a hacerle la partida de ajedrez a Julia. 2. ¿Qué, *habrá estado* también hoy *el conde?* 3. O para mí todos son iguales y *como si fuesen uno mismo*. 4. *¡ A mí me había de hacer una mujer* lo que a ese desdichado le hace la suya . . . ! 5. *¡ Buen provecho te haga !* 6. *¡ Qué* petulantes son ustedes los hombres ! 7. ¿ Me permite *que se lo diga*, Julia ? 8. Pues *lo que es él* . . . . 9. ¡ Usted *misma !* 10. En mí, pobre noble *venido a menos*, no cabe tal orgullo.

II. The following idioms appear in the text. Translate them; then use ten of them in Spanish sentences.

1. sobre todo 2. hacer la partida de ajedrez 3. ni . . . ni 4. No hay más que un conde 4. en fin 5. él se tiene la culpa 6. ¡ Si eso no es un hombre ! 7. por supuesto 8. de pronto 9. ¡ Vaya una sociedad ! 10. en tanto 11. pues bien 12. a fuerza de

III. Future of Probability. A very common use of the future tense is that of expressing probability in present time, e.g., *¿ Estará Juan allí ahora ?* Literally, the sentence means "Will Juan be there now?" In fact, as the adverb *ahora* shows, the sense of the sentence expresses a conjecture about *present*, not future, time. The best translation for the sentence is, therefore: "I wonder whether Juan is there now." One has to distinguish carefully between the use of the future to express this special notion about present time and its use to express true future time. The following examples which show the use of the future to express probability in the present time are taken from the text:

1. «¿Pero será cierto que este hombre no siente celos? — se decía Julia. 2. ¿Será cierto que le tiene sin cuidado que el conde venga y me ronde? 3. Allí estará también la condesa con su último amigo. 4. «¿Tendrá razón este hombre? — se decía.» 5. ¿Será así? 6. ¿Será verdad que me desprecia? 7. ¿Será verdad que no me quiere?

In contrast to the sentences above, note that the following sentences express true future time:

1. No, él no entrará. A él no le importa nada de ti. 2. ¡Quien te matará es él, él, tu marido, y no serás la primera. 3. Me voy; pero . . . volveré. Me llamarás tú.

X–XI
(*pages 83–86*)

I. Translate these sentences, paying special attention to the italicized portions of each.

1. Empezó a ser pasto de los cotarros de maledicencia de la corte *lo de* las relaciones entre Julia y el conde de Bordaviella. 2. Y Alejandro *no se enteraba de ello.* 3. El conde ese es un mentecato, inofensivo, que *se las echa de* tenorio. 4. Díganle ustedes *que me pase* la cuenta del médico. 5. Díganle que *en cuanto* se cure de la cabeza, *quiero decir*, del botellazo, que me avise. 6. ¡Pero, don Alejandro, *usted se está burlando de* nosotros! 7. ¡Y *claro que* no lo soy, hombre, claro que no lo soy! 8. Díganle, se lo repito, que me pase la cuenta del médico, y que *tenga en adelante cuenta con* lo que dice. 9. ¡Yo *no soy más que* un hombre, pero todo un hombre, *nada menos que todo un hombre!* 10. ¡Diviértete con él *cuando te plazca!*

II. The following idioms appear in the text. Translate them; then use them in Spanish sentences.

1. o . . . o 2. hay que 3. ¿A mí con bromitas de esas? 4. cortar de raíz 5. dar la razón 6. dar en decir 7. ¡Nada de eso! 8. al cabo 9. se trataba de un millonario 10. Vámonos.

III. *Como si* and the Subjunctive. *Como si*, "as if," is always followed by the *past* (imperfect or pluperfect) subjunctive, for what is in a clause beginning with *como si* is always presented as contrary to actual fact. Note these examples taken from the text:

1. Y Alejandro, o no se enteraba de ello, o hacía como si no se enterase. 2. Como si no le entendiese . . . 3. Como si no supiera las necedades que corren por ahí, entre los majaderos, a propósito de los caprichos novelscos de mi pobre mujer.

IV. Retell Chapters VI–XI in your own words. Try to use the grammar constructions discussed in these chapters and as many of the idioms as possible.

XII–XIII
(*pages 86–90*)

I. Translate these sentences, paying special attention to the italicized portions of each.

1. Una temporadita de campo *te vendrá muy bien.* 2. Por supuesto, si es que *piensas aburrirte*, puedes invitarle al condezuelo ese a que nos acompañe. 3. Pero *no hablemos* de cosas de libros. 4. Y una noche, después de cenar, *encontrándose los dos solos*, la mujer dijo de pronto. 5. Pero, ¿*la querría* de veras? 6. ¿Quién *te ha faltado?* 7. ¡*Cuidado con* empeorar! 8. *Habrá que* volver al campo y someterte a tratamiento. 9. ¡*Quien* lo consiente eres tú! 10. ¿Pues *no he de consentirlo*, si es mi amante? 11. Y si sigues así, *va a acabar todo ello* en volverte loca. 12. Aquí *va a haber que tomar* medidas.

II. The following idioms appear in the text. Translate them; then use them in Spanish sentences.

1. irse 2. tener celos 3. volverse cosa peor 4. no volveré a leer más 5. gracias a mí 6. ¿Qué quieres decir? 7. por lo mismo 8. dejar de ser 9. echarse a 10. a los dos días de esto

III. Uses of *Ser.* There are two principal situations in which the verb *ser* is used in Spanish rather than other verbs which express aspects of being: (a) to state the idea of grammatical equality (one noun is said to equal another noun, or a pronoun to equal another pronoun, etc.) and (b) to connect a subject with a predicate adjective which describes some identifying characteristic of that subject. Examples: (a) *Mi padre es ingeniero* (here the subject noun *padre* is equated with the predicate noun *ingeniero*) and (b) *El libro es verde* (here the predicate adjective *verde* describes an identifying characteristic of the noun *libro*). The following examples from the text illustrate these two uses of *ser:*

1. Todo lo tuyo no es más que eso. 2. ¿Soy acaso algún tirano yo? 3. Esas son bobadas para hablar con condesitos al tomar el té. 4. Que eres demasiado hermosa para diario. 5. Ella es para ti como una perrita. 6. Es a lo que más se parece. 7. Y ya fue ella, Julia, la que, exasperada, empezó a prestar oídos a las venenosas insinuaciones del amigo. 8. ¡Tú no eres un hombre, Alejandro, no, no eres un hombre! 9. ¿Pues no he de consentirlo, si es mi amante? 10. Ni es verdad que maté a la otra, ni es verdad que el michino sea tu amante. 11. Y mi casa no es teatro. 12. Alejandro Gómez no es ningún michino; ¡es nada menos que todo un hombre!

XIV–XV
(*pages 90–95*)

I. Translate these sentences, paying special attention to the italicized portions of each.

1. Repórtese, señora, y *vuelva en sí.* 2. —Bueno; ahora, señor mío—dijo Alejandro *dirigiéndose al conde*—, nosotros nos vamos. 3. O mi mujer resulta loca, o *les levanto a usted y a ella las tapas de los sesos.* 4. Lo que tengo que hacer es pagarle lo que le debo, *para no tener más cuentas con usted.* 5. ¡Y *ojo con ésta!* 6. Lo que yo me temo es que *acabe por volverse de veras loca.* 7. ¡Otelo *me habría matado!* 8. No, ese hombre no necesitó matar a su primera mujer; *la hizo morir.* 9. Si me habían dicho que estabas ya curada . . . , que *se te habían quitado las alucinaciones.* 10. *¿Te basta?* 11. Y entonces vio en Alejandro, su pobre mujer, por vez primera, algo que *nunca antes en él viera.* 12. ¡Pues *no he de quererte*, hija mía, pues no he de quererte! 13. Ahora *quisiera* morirme, Alejandro. 14. ¿Me quieres por mí, por mí, y *aunque fuese de otro,* o por ser yo cosa tuya?

II. The following idioms appear in the text. Translate them; then use ten of them in Spanish sentences.

1. A los dos días de esta escena 2. a petición mía 3. sin hacer caso a su marido 4. volverse a 5. atreverse a 6. tanto . . . como 7. a solas 8. guardar la lengua 9. de otro modo 10. en efecto 11. a diario 12. dar en 13. dar celos 14. a mi vez 15. al principio

III. Uses of *Estar*. *Estar* expresses two principal aspects of "being": that of location (*Alejandro está solo en la habitación*) and, with a predicate adjective, that of some change in the basic nature of the subject (*El hombre está enfermo*). Note the following examples chosen from the text:

1. Tú no estás bien de la cabeza. 2. Conque quedamos en que mi mujer está loca de remate y usted es un tonto. 3. Si me habían dicho que estabas ya curada . . . , que se te habían quitado las alucinaciones. 4. Sí, tienes razón, Alejandro, tienes razón; he estado loca, loca de remate. 5. ¡Y curada estoy!

XVI–XVII
(*pages 95–102*)

I. Translate these sentences, paying special attention to the italicized portions of each.

1. Como ya *sabrá usted*, señor conde, mi mujer ha salido del manicomio completamente curada. 2. Y *volviéndose al criado:* «¡Retírate!» 3. Aunque yo no sea un caballero, *ni mucho menos*, no he llegado aún a eso. 4. Cuando *me puse loca*, loca de amor por mi marido, *quise* tomarle a usted de instrumento para excitar sus celos. 5. Pues bueno, *ya que* mi mujer le dijo lo que tenía que decirle, y usted le ha perdonado su locura, *a mí no me queda sino* rogarle que siga usted honrando nuestra casa con sus visitas. 6. Después de lo pasado, usted comprenderá que *sería de muy mal efecto que interrumpiéramos nuestras relaciones*. 7. Y se salió Alejandro, dejándolos *cara a cara y a cuál de los dos más sorprendidos* de aquella conducta. 8. ¿Es que quieren ustedes declararme a mí loco o *volverme tal?* 9. *Vuelvo a repetirle* que estaba loca. 10. Ahora *sí que* parecía de veras que iba a enloquecer. 11. ¡Ay, Alejandro, ahora *lo doy todo por bien padecido*. 12. *Creyó* un momento *ver sonreír a su mujer*.

II. The following idioms appear in the text. Translate them; then use ten of them in Spanish sentences.

1. pasado mañana 2. a toda costa 3. en atención a 4. cuanto antes 5. por si 6. ¡Qué sé yo! 7. cuanto más se puede 8. fuese por lo que fuera 9. volver a las andadas 10. entre su

marido y usted 11. ponerse enfermo 12. sea como sea 13. pensar en 14. cada vez más 15. ¡A mí la muerte!

III. Conditional Sentences. Conditional sentences are complex sentences containing an *if*-clause and a conclusion clause. There are two main types of conditional sentences: (a) the noncommittal or general, and (b) the contrary-to-fact. In the former, no particular attitude is shown with regard to the probability of the condition's coming to be a fact. In these, the indicative is used in both clauses. In contrary-to-fact conditions, the subjunctive (always past) is used in the if-clause, to show the unreality of the condition, the impossibility of its coming to be a fact. Here are some examples of both kinds, taken from the text:

1. Porque si usted no *viene* ese día a recibir esas satisfacciones y explicaciones, sufrirá las consecuencias de ello. 2. Y esto fue un embuste, y habría sido una infamia de mi parte si yo no *hubiese estado*, como estaba, loca. 3. Y en prueba de mi confianza en la total curación de mi mujer, ahí les dejo a ustedes dos solos, por si ella *quiere* decirle algo que no se atreve a decírselo delante de mí. 4. Y así era la verdad, porque si no *hubiese estado* yo entonces loca, no habría dicho, como dije, que era usted mi amante. 5. —¡Y mátame, llévame contigo! —Si *pudiera*... 6. ¡Si no *puedo* ser tuyo, de la muerte!

IV. Retell Chapters XII–XVII in your own words. Try to use the grammar constructions discussed in these chapters and as many of the idioms as possible.

Gustavo Adolfo Bécquer

(1836-1870)

Bécquer, nacido en Sevilla, es autor de una colección de poemas líricos (las Rimas); *de su obra en prosa se destacan las narraciones breves que tituló* Leyendas. *De índole muy personal, su obra apenas fue conocida en su vida; pero con el tiempo Bécquer ha llegado a ser considerado uno de los mejores poetas de la literatura española. Los poetas de hoy le ven como precursor de la nueva poesía y el crítico contemporáneo Dámaso Alonso ha dicho de él que es «el creador de uno de los mundos poéticos más simples, más hondos, más etéreos, más irreales y extraordinarios de los que la humanidad ha producido». Sus* Leyendas *captan «con fino sentido artístico», dice Angel del Río, «un ambiente medieval, de templos y claustros románicos o góticos, monasterios, ruinas, calles en sombra o palacios señoriales». Y este fino sentido artístico, en «La cruz del Diablo», va acompañado de una sutil sofisticación irónica que satisface plenamente las exigencias del lector moderno.*

La cruz del Diablo

I

El crepúsculo[1] comenzaba a extender sus ligeras alas de vapor sobre las pintorescas orillas del Segre,[2] cuando, después de una fatigosa[3] jornada,[4] llegamos a Bellver, término de nuestro viaje.

Bellver es una pequeña población situada a la falda de una colina,[5] por detrás de la cual se ven elevarse las crestas[6] de los Pirineos.[7] 5

Los blancos caseríos[8] que la rodean parecen a lo lejos un bando de palomas que han abatido[9] su vuelo para apagar su sed en las aguas del río.

Una pelada[10] roca, a cuyos pies tuercen éstas su curso, y sobre cuya cima[11] se notan aún remotos vestigios[12] de construcción, señala la antigua línea divisoria[13] entre el condado de Urgel[14] y el más importante de sus feudos.[15] 10

[1]*crepúsculo* twilight [2]*Segre* a river in northeastern Spain, is a tributary of the Ebro, Spain's largest river. Its source is in the Pyrenees, near the French border. [3]*fatigoso* tiring, fatiguing [4]*jornada* day's journey [5]*colina* hill [6]*cresta* summit [7]*Pirineos* the Pyrenees mountains, which form the boundary between France and Spain [8]*caserío* group of houses [9]*abatir el vuelo* to descend from the sky [10]*pelado* bare [11]*cima* top, peak [12]*vestigio* vestige, remains [13]*línea divisoria* boundary (dividing line) [14]*condado de Urgel* county of Urgel, former political division in what is now the province of Lérida, in Catalonia, northeastern Spain [15]*feudo* fief, property of a feudal lord

A la derecha del tortuoso sendero[16] que conduce a este punto se encuentra una cruz. El asta[17] y los brazos son de hierro; la redonda base en que se apoya, de mármol[18] y la pequeña escalera que a ella conduce, de oscuros y mal unidos fragmentos de piedra.
5 La destructora[19] acción de los años ha roto la piedra de este monumento, entre cuyas hendiduras crecen algunas plantas que suben hasta coronarlo.[20]

Yo había adelantado algunos minutos a mis compañeros de viaje y, deteniendo mi caballo, contemplaba en silencio aquella cruz,
10 muda[21] y sencilla expresión de las creencias y la piedad[22] de otros siglos.

Un mundo de ideas se agolpó[23] a mi imaginación en aquel instante. Ideas ligerísimas sin forma determinada, que unían entre sí como un invisible hilo de luz, la profunda soledad de aquellos
15 lugares, el alto silencio de la noche y la vaga melancolía de mi espíritu.

Impulsado[24] de un pensamiento religioso, eché maquinalmente pie a tierra, me descubrí[25] y comencé a buscar en el fondo de mi memoria una de aquellas oraciones que me enseñaron cuando niño.
20 Ya había comenzado a murmurarla, cuando de repente sentí que me sacudían con violencia por los hombros. Volví la cara: un hombre estaba a mi lado.

Era uno de nuestros guías naturales del país, el cual, con una indescriptible[26] expresión de terror pintada en el rostro, trataba de
25 arrastrarme consigo y cubrir mi cabeza con el sombrero que aún tenía en mis manos.

Mi primera mirada, mitad de asombro, mitad de cólera, era una interrogación enérgica[27] aunque muda.

El pobre hombre, sin desistir de su empeño de alejarme de aquel
30 sitio, contestó a ella con estas palabras, que entonces no pude comprender, pero en las que había un acento de verdad que me sobrecogió:[28]

[16]*sendero* path [17]*asta* the vertical shaft of a cross (This word is feminine; because it begins with stressed *a*, the article *el* is used.) [18]*mármol m.* marble [19]*destructor -a* destroying, destructive [20]*coronar* to crown, cap [21]*mudo* mute, silent [22]*piedad f.* piety [23]*agolparse* to crowd [24]*impulsado* impelled [25]*descubrirse* to take off one's hat [26]*indescriptible* indescribable [27]*enérgico* energetic [28]*sobrecoger* to surprise, make apprehensive

— ¡ Por la memoria de su madre ! ¡ Por lo más sagrado que tenga[29] en el mundo, señorito, cúbrase usted la cabeza y aléjese más que de prisa de esta cruz ! ¿ Tan desesperado está usted que, no bastándole la ayuda de Dios, busca también la del diablo ?

Yo permanecí un rato mirándole en silencio. Francamente, creí que estaba loco; pero él continuó con vehemencia:

— Usted busca la frontera; pues bien; si delante de esa cruz le pide usted al cielo que le preste ayuda, las cumbres[30] de los montes se levantarán en una sola noche hasta las estrellas invisibles, y no encontraremos aquella frontera en toda nuestra vida.

Yo no pude menos de[31] sonreírme.

— ¿ Se burla usted ? . . . ¿ Cree usted acaso que ésa es una cruz santa, como la de nuestra iglesia ? . . .

— ¿ Quién lo duda ?

— Pues se engaña[32] usted de medio a medio;[33] porque esa cruz está maldita . . . ; esa cruz pertenece a un espíritu maligno,[34] y por eso la llaman *La cruz del Diablo.*

— ¡ La cruz del Diablo ! — repetí, sin darme cuenta a mí mismo del involuntario temor que comenzó a apoderarse[35] de mi espíritu; — ¡ La cruz del Diablo ! . . . ¡ Una cruz . . . y el diablo ! ¡ Vaya, vaya ! Cuando lleguemos a la población tendrás que explicarme ese monstruoso absurdo.[36]

Durante este corto diálogo, nuestros camaradas, que habían picado[37] sus caballos, se nos reunieron al pie de la cruz; yo les expliqué en breves palabras lo que acababa de suceder; monté nuevamente en mi caballo, y las campanas de la iglesia llamaban lentamente a la oración cuando llegamos al parador[38] de Bellver.

[29]*¡Por lo más sagrado que tenga . . .* By what you hold most sacred [30]*cumbre f.* peak, summit, top [31]*no pude menos de* I couldn't help [32]*engañarse* to be mistaken [33]*de medio a medio* completely, entirely [34]*maligno* evil, malignant [35]*apoderarse* to take possession [36]*absurdo* absurdity [37]*picar* to spur [38]*parador m.* inn

II

Sentados juntos al fuego, todos esperaban con impaciencia la historia de *La cruz del Diablo*, que como postres de la frugal cena que acabábamos de consumir se nos había prometido, cuando nuestro guía tosió[1] por dos veces, tomó un último trago de vino, 5 se limpió con la mano la boca y comenzó de este modo:

—Hace mucho tiempo, mucho tiempo, yo no sé cuánto, pero los moros ocupaban aún la mayor parte de España,[2] y se llamaban condes nuestros reyes cuando ocurrió lo que voy a referir a ustedes.

10 Concluída esta breve introducción histórica, el héroe de la fiesta guardó silencio durante algunos segundos y siguió así:

—Pues es el caso que en aquel tiempo remoto esta población y algunas otras pertenecían a un noble barón, cuyo castillo se levantó por muchos siglos sobre la cresta de un peñasco[3] que 15 baña el Segre, del cual toma su nombre.

Aún prueban la verdad de mi relación algunas ruinas que se ven sobre su cumbre desde el camino que conduce a este pueblo.

Quiso la suerte que este señor, a quien por su crueldad detestaban sus vasallos,[4] y por sus malas cualidades ni el rey admitía en 20 su corte, ni sus vecinos en el hogar, se aburriese de vivir solo con su mal humor y con sus ballesteros[5] en lo alto de la roca. Día y noche se dedicaba a buscar alguna distracción propia de su carácter, lo cual era bastante difícil después de haberse cansado, como ya lo estaba, de mover guerras a sus vecinos y ahorcar[6] a 25 sus súbditos.[7]

En esta ocasión, se cuenta que se le ocurrió una idea feliz.

Sabiendo que los cristianos de otras poderosas naciones se prestaban a salir juntos en una formidable armada[8] a un país maravilloso para conquistar el sepulcro[9] de Nuestro Señor

[1]*toser* to cough [2]Moorish invaders entered Spain early in the eighth century and were finally expelled from the country in 1492. They occupied northeastern Spain from the ninth to the twelfth centuries. [3]*peñasco* large rock [4]*vasallo* vassal [5]*ballestero* archer, crossbowman [6]*ahorcar* to hang [7]*súbdito* subject [8]*armada* fleet [9]*sepulcro* tomb (The reference here is to one of the Crusades to the

Jesucristo, que los moros tenían en su poder, se determinó a marchar allí también.

Si realizó esta idea con objeto de pagar sus culpas, que no eran pocas, derramando su sangre en tan justa empresa, o con el de trasplantarse a un punto donde sus malas mañas[10] no se conociesen, se ignora; pero la verdad del caso es que, con gran contentamiento de grandes y chicos, de vasallos y de iguales, reunió cuanto dinero pudo, redimió a sus pueblos mediante una fuerte cantidad de dinero, y no conservando de propiedad suya más que la roca aquella del Segre y las cuatro torres del castillo, herencia[11] de sus padres, desapareció de la noche a la mañana.[12]

La comarca[13] entera respiró en libertad durante algún tiempo. Ya no colgaban de sus árboles, en vez de frutas, racimos[14] de hombres; las muchachas del pueblo no temían al salir con su cántaro[15] en la cabeza a tomar agua de la fuente del camino, ni los pastores,[16] llevando sus rebaños[17] al Segre, temblaban, temiendo encontrar a los ballesteros de su muy amado señor.

Así pasaron tres años; la historia del *Mal caballero*, que sólo por este nombre se le conocía, comenzaba a pertenecer al exclusivo dominio de las viejas, que en las eternas noches del invierno la relataban con voz temerosa a los chicos: las madres asustaban a los pequeños incorregibles diciéndoles: «¡ Que viene el señor del Segre !», cuando, de repente, no sé si un día o una noche, el temido señor apareció efectivamente y en carne y hueso, en mitad de sus antiguos vasallos.

Renuncio a describir el efecto de esta desagradable sorpresa. Ustedes se lo podrán figurar, mejor que yo pintarlo, sólo con decirles que volvía reclamando sus antiguos derechos; que si malo se fue, peor volvió, y si pobre y sin crédito se encontraba antes de partir a la guerra, ya no podía contar con más recursos que su despreocupación,[18] su lanza[19] y una media docena de aventureros tan perdidos[20] como su jefe.

Como era natural, los pueblos se resistieron a pagar tributos

---

Holy Land.) [10]*maña* habit, vice [11]*herencia* inheritance [12]*de la noche a la mañana* suddenly [13]*comarca* district [14]*racimo* cluster [15]*cántaro* pitcher [16]*pastor m.* shepherd [17]*rebaño* flock [18]*despreocupación f.* lack of concern [19]*lanza* lance, [20]*perdidos* dissolute que a tanta costa habían redimido; pero el señor puso fuego[21] a sus propiedades y a sus casas.

Entonces apelaron a la justicia del rey; pero el señor se burló de las leyes y decretos[22] de los condes soberanos.[23]

5 Exasperados, y no encontrando otro medio de salvación, por fin, se pusieron de acuerdo entre sí, se encomendaron[24] a la Divina Providencia y tomaron las armas; pero el señor llamó a sus ballesteros, llamó en su ayuda al diablo, se encaramó[25] a su roca y se preparó a la lucha.

10 Esta comenzó terrible y sangrienta. Se peleaba con todas armas, en todos sitios y a todas horas, con la espada y el fuego, en la montaña y en la llanura,[26] en el día y durante la noche. Aquello no era pelear para vivir; era vivir para pelear.

Al cabo, triunfó la causa de la justicia. Oigan ustedes cómo:

III

15 Una noche oscura, muy oscura, en que no se oía ni un rumor en la tierra ni brillaba una sola estrella en el cielo, los señores de la fortaleza,[1] celebrando una reciente victoria, ebrios[2] con el vapor de los licores, en mitad de la loca orgía, entonaban[3] sacrílegos cantares en honor de su infernal patrono.

20 Como digo, nada se oía alrededor del castillo, excepto el eco de las blasfemias. Ya los descuidados centinelas[4] habían fijado algunas veces sus ojos en el pueblo silencioso, y se habían dormido sin temor a una sorpresa, apoyados en sus lanzas, cuando de repente algunos aldeanos,[5] resueltos a morir y protegidos por la sombra, 25 comenzaron a subir la roca del Segre, a cuya cima llegaron a punto de la medianoche.

Una vez en la cima, lo que faltaba por hacer fue obra de poco tiempo: los centinelas salvaron de un solo salto la barrera que

[21]*poner fuego* to set fire [22]*decreto* decree [23]*soberano* sovereign [24]*encomendarse* to put one's self in the hands of [25]*encaramarse* to climb [26]*llanura* plain

[1]*fortaleza* fortress [2]*ebrio* drunk [3]*entonar* to sing [4]*centinela m.* sentinel [5]*aldeano* villager

separa el sueño de la muerte; el fuego, aplicado al puente, se comunicó con la rapidez del relámpago a los muros,[6] y los aldeanos, favorecidos por la confusión y abriéndose paso[7] entre las llamas, dieron fin con los habitantes del castillo en un abrir y cerrar de ojos. Todos perecieron.[8] 5

Al llegar el día, humeaban[9] aún las ruinas de las torres; y a través de sus anchas brechas,[10] era fácil divisar, colgada de uno de los negros pilares de la sala, la armadura[11] del temido jefe, cuyo cadáver,[12] cubierto de sangre y polvo, yacía[13] confundido con los de sus oscuros compañeros. 10

* * * *

El tiempo pasó; comenzaron las plantas silvestres[14] a crecer en los desiertos patios. Sólo el soplo[15] de la brisa y el graznido[16] de las aves nocturnas turbaban de cuando en cuando el silencio de muerte de aquel lugar maldito; los huesos de los muertos blanqueaban[17] a la luz de la luna, y aún podía verse el haz[18] de armas del señor 15 del Segre colgado del negro pilar de la sala.

Nadie se atrevía a tocarlo; pero corrían mil historias acerca de aquel objeto, causa incesante de terrores para los que lo miraban llamear[19] durante el día, herido por la luz del sol, o creían oír en las altas horas de la noche el metálico son de sus piezas cuando las 20 movía el viento.

A pesar de todos los cuentos que a propósito de la armadura se relataron, y que en voz baja se repetían unos a otros los habitantes de los alrededores, no pasaban de[20] cuentos, y el único mal positivo que de ellos resultó se redujo entonces a una dosis[21] de miedo más 25 que regular,[22] que cada uno trataba de disimular como podía.

Si de aquí no hubiera pasado la cosa, nada se habría perdido. Pero el diablo, que a lo que parece no se encontraba satisfecho de su obra, sin duda con el permiso de Dios, y a fin de hacer purgar[23] a la comarca algunas culpas, volvió a tomar cartas[24] en el asunto. 30

[6]*muro* wall [7]*abrirse paso* to make one's way [8]*perecer* to perish [9]*humear* to smoke [10]*brecha* breach, opening [11]*armadura* armor [12]*cadáver m.* cadaver, corpse [13]*yacer* to lie [14]*silvestre* wild [15]*soplo* blowing [16]*graznido* croaking, cawing [17]*blanquear* to whiten [18]*haz m.* heap, pile [19]*llamear* to blaze, glow [20]*no pasar de* to be only, not to go beyond [21]*dosis f.* dose [22]*regular* usual, normal [23]*purgar* to atone for, purge, purify [24]*tomar cartas* to take a hand

Desde este momento las historias, que hasta aquella época no pasaron de un rumor vago, comenzaron a tomar consistencia y a hacerse de día en día más probables.

En efecto, hacía algunas noches que todo el pueblo había podido
5 observar un extraño fenómeno:

Entre las sombras, a lo lejos, ya subiendo las cuestas[25] de la roca del Segre, ya[26] vagando[27] entre las ruinas del castillo o volando por los aires, se veían correr, cruzarse, esconderse y volver a aparecer, para alejarse en distintas direcciones, unas luces miste-
10 riosas y fantásticas, cuya procedencia[28] nadie sabía explicar.

Esto se repitió por tres o cuatro noches durante un mes, y los confusos aldeanos esperaban, inquietos, el resultado de todo aquello, que ciertamente no se hizo aguardar[29] mucho, cuando tres o cuatro casas incendiadas,[30] varias reses[31] desaparecidas y los
15 cadáveres de algunos viajeros pusieron en alarma a todo el territorio.

Ya no quedó duda alguna. Una banda de malhechores[32] se albergaba[33] en el castillo.

Estos, que sólo se presentaban al principio muy de tarde en
20 tarde[34] concluyeron por ocupar casi todos los desfiladeros[35] de las montañas, esconderse en los caminos, saquear[36] los valles y descender como un torrente a la llanura. Los asesinatos[37] se multiplicaban, las muchachas desaparecían y los niños eran arrancados de las cunas,[38] a pesar de los lamentos de sus madres, para servirlos
25 en diabólicas fiestas, en que, según la creencia general, los vasos sagrados de las profanadas iglesias servían de copas.

El terror llegó a apoderarse de los ánimos en un grado tal que de noche nadie se aventuraba a salir de su casa, en la que no siempre se creían seguros de los bandidos del castillo.

[25]*cuesta* slope [26]*ya . . . ya* now . . . now [27]*vagar* to roam, wander [28]*procedencia* origin, source [29]*aguardar* to await, wait for [30]*incendiado* burned [31]*res f.* head of cattle, beast [32]*malhechor m.* criminal, malefactor [33]*albergarse* to lodge, take shelter [34]*de tarde en tarde* rarely, at long intervals [35]*desfiladero* defile, pass [36]*saquear* to plunder, loot [37]*asesinato* murder [38]*cuna* crib, cradle

IV

Mas ¿ quiénes eran éstos ? ¿ De dónde habían venido ? ¿ Cuál era el nombre de su misterioso jefe ? He aquí[1] el enigma que todos querían explicar y que nadie podía resolver entonces, aunque se observase, desde luego, que la armadura del señor feudal había desaparecido del sitio que antes había ocupado y posteriormente 5 varios labradores[2] hubiesen afirmado que el capitán de aquella banda marchaba a su frente, cubierto con una que, si no era la misma, se le parecía en todo.

Cuanto queda repetido, si se le despoja[3] de esa parte de fantasía con que el miedo aumenta y completa sus creaciones favoritas, 10 nada tiene en sí de sobrenatural y extraño.

¿ Qué cosa más corriente en unos bandidos que las ferocidades con que éstos se distinguían, ni más natural que el apoderarse su jefe de las abandonadas armas del señor del Segre ?

Sin embargo, algunas revelaciones hechas antes de morir por uno 15 de los bandidos, prisionero en las últimas refriegas, preocupaban el ánimo de los más incrédulos. Poco más o menos, el contenido de su confesión fue éste:

Yo — dijo — soy de una noble familia. Los excesos de mi juventud, mis locas prodigalidades y mis crímenes, por último, atra- 20 jeron[4] sobre mi cabeza la cólera de mis parientes y la maldición de mi padre, que me desheredó[5] al morir. Hallándome solo y sin recursos de ninguna clase, el diablo, sin duda, debió de sugerirme la idea de reunir algunos jóvenes que se encontraban en una situación idéntica a la mía, los cuales, seducidos con la promesa de un 25 porvenir de disipación, libertad y abundancia, no vacilaron un instante en suscribir mis designios.

— Estos se reducían a formar una banda de jóvenes de buen humor, poco temerosos del peligro, que desde allí en adelante vivirían alegremente del producto de su valor y a costa del país, 30

[1]*he aquí* here you have [2]*labrador m.* farmer, peasant [3]*despojar* to strip, deprive of, remove [4]*atrajeron pret.* (3rd person pl.) of *atraer* to attract, draw [5]*desheredar* to disinherit

hasta que Dios se sirviera[6] disponer de cada uno de ellos conforme a su voluntad, según hoy a mí me sucede. Con este objeto, señalamos esta comarca para teatro de nuestras expediciones futuras y escogimos como el punto más a propósito[7] para nuestras reuniones
5 el abandonado castillo del Segre, lugar seguro por su posición fuerte y por hallarse defendido contra el vulgo[8] por las supersticiones y el miedo. Congregados una noche bajo sus ruinosas arcadas, alrededor de una hoguera, comenzamos a disputar acaloradamente[9] sobre cuál de nosotros había de ser elegido jefe. Cada
10 uno alegó[10] sus méritos; yo expuse mis derechos; ya los unos murmuraban entre sí, ya los otros, medio ebrios, habían puesto la mano sobre el pomo[11] de sus puñales[12] para arreglar la cuestión, cuando de repente oímos un extraño crujir[13] de armas acompañado de pisadas[14] huecas[15] y sonantes,[16] que se hacían cada vez más
15 distintas. Todos miramos a nuestro alrededor con desconfianza;[17] nos pusimos en pie[18] y sacamos nuestros puñales, determinados a vender caras las vidas; pero permanecimos inmóviles al ver adelantarse con paso firme e igual un hombre de elevada estatura, completamente armado de la cabeza al pie y cubierto el rostro
20 con la visera del casco,[19] el cual, sacando su espada, que dos hombres podían apenas manejar, y poniéndola sobre uno de los fragmentos de las rotas arcadas, exclamó con voz hueca y profunda: «Si alguno de vosotros se atreve a ser el primero mientras yo habite en el castillo del Segre, que tome esa espada, signo del
25 poder.»

—Todos guardamos silencio, hasta que, transcurrido el primer momento de estupor, lo proclamamos a grandes voces[20] nuestro capitán, ofreciéndole una copa de nuestro vino, la cual rehusó acaso por no descubrir la cara, que en vano tratamos de distinguir
30 a través de la visera que la ocultaba a nuestros ojos. No obstante,[21] aquella noche pronunciamos el más formidable de los juramentos, y a la siguiente comenzaron nuestras nocturnas correrías.[22] En

[6]*servirse* to deign, be pleased to [7]*a propósito* appropriate, fit [8]*vulgo* populace, common people [9]*acaloradamente* heatedly [10]*alegar* to adduce, affirm, allege [11]*pomo* pommel (end of the hilt of a sword) [12]*puñal m.* dagger [13]*crujir* crackle, creak [14]*pisada* footstep [15]*hueco* hollow [16]*sonante* sounding, resounding [17]*desconfianza* distrust, suspicion [18]*ponerse en pie* to stand up [19]*casco* helmet [20]*a grandes voces* with great shouts [21]*no obstante* nevertheless, however [22]*correría*

ellas, nuestro misterioso jefe marchaba siempre delante de todos. Ni los peligros le intimidan, ni las lágrimas lo conmueven. Nunca abre la boca, pero cuando la sangre humea en nuestras manos; cuando las mujeres huyen espantadas entre las ruinas, y los niños gritan con dolor, y los ancianos perecen a nuestros golpes, contesta con una carcajada[23] de feroz alegría a los gemidos,[24] a las imprecaciones y a los lamentos. Jamás se desnuda de[25] sus armas ni se quita la visera de su casco después de la victoria, ni se entrega al sueño. Las espadas que lo hieren se hunden entre las piezas de su armadura, y ni le causan la muerte ni se retiran teñidas[26] en sangre; desprecia el oro, aborrece[27] la hermosura y no lo inquieta la ambición. Entre nosotros, unos lo creen un extravagante; otros, un noble arruinado, y no falta quien se encuentra convencido de que es el mismo diablo en persona.

V

El autor de estas revelaciones murió con una sonrisa en los labios y sin arrepentirse de[1] sus culpas. Varios de sus iguales tuvieron la misma suerte; pero el temido jefe no cesaba en sus desastrosas empresas, y se le unían constantemente nuevos discípulos.[2]

Los infelices habitantes de la comarca, cada vez más desesperados, no sabían qué determinación debía tomarse para concluir de una vez con aquel orden de cosas, cada día más insoportable y triste.

Cerca del pueblo, y oculto en el fondo de un espeso bosque, vivía entonces, en una pequeña ermita[3] dedicada a San Bartolomé,[4] un santo hombre, de costumbres piadosas[5] y ejemplares, a quien el pueblo tuvo siempre en olor de santidad[6] debido a sus saludables[7] consejos y acertadas predicciones.

---

raid, escapade [23]*carcajada* outburst of laughter [24]*gemido m.* groan [25]*desnudarse de* to strip off, take off [26]*teñido* (past part. of *teñir* to stain) [27]*aborrecer* to hate, detest

[1]*arrepentirse de* repent [2]*discípulo* follower, disciple [3]*ermita* hermitage [4]*San Bartolomé* St. Bartholomew, one of the twelve apostles [5]*piadoso* pious [6]*santidad f.* saintliness [7]*saludable* wholesome, salutary

Este venerable hombre, a cuya prudencia y sabiduría encomendaron los vecinos de Bellver la solución de este difícil problema, después de implorar la ayuda de Dios por medio de su santo patrono, que, como ustedes saben, conoce al diablo muy de
5 cerca y en más de una ocasión lo ha atado bien corto,[8] les aconsejó que se ocultasen durante la noche al pie del camino que sube por la roca en cuya cima se encontraba el castillo, encargándoles al mismo tiempo que, una vez allí, no hiciesen uso de otras armas para aprehenderlo que de una maravillosa oración que les hizo
10 aprender de memoria, y con la cual aseguraban las crónicas[9] que San Bartolomé había hecho al diablo su prisionero.

Se puso en práctica el proyecto, y su resultado excedió a cuantas esperanzas se habían concebido, pues aún no iluminaba el sol del otro día[10] la alta torre de Bellver, cuando sus habitantes, reunidos
15 en grupos en la plaza Mayor, se contaban unos a otros, con aire de misterio, cómo aquella noche, fuertemente atado de pies y manos, montado en una poderosa mula, había entrado en el pueblo el famoso capitán de los bandidos del Segre.

De cómo se había llevado a cabo esta empresa, ni nadie se lo
20 acertaba a explicar ni ellos mismos podían decirlo; pero el hecho era que, gracias a la oración del santo o al valor de sus devotos, la cosa había sucedido tal como se refería.

Apenas la novedad comenzó a extenderse de boca en boca y de casa en casa, la multitud se lanzó[11] a las calles y corrió a reunirse
25 a las puertas de la prisión. La campana de la iglesia llamó a consejo,[12] y los vecinos más respetables se juntaron en capítulo,[13] y todos aguardaban ansiosos la hora en que el reo[14] había de presentarse ante sus improvisados[15] jueces.

Estos, que estaban autorizados por los condes de Urgel para
30 administrar por sí mismos pronta y severa justicia sobre aquellos malhechores, deliberaron un momento, pasado el cual mandaron comparecer al reo a fin de notificarle su sentencia.

Como se ha dicho, así en la plaza Mayor como en las calles por donde el prisionero había de atravesar para dirigirse al punto en

[8]*atar corto* to bring up short [9]*crónica* chronicle, history [10]*el otro día* the next day [11]*lanzarse* to rush [12]*consejo* (here) council [13]*capítulo* chapter, meeting [14]*reo* criminal, defendant [15]*improvisado* improvised, unofficial

que sus jueces se encontraban, la impaciente multitud esperaba. Especialmente en la puerta de la cárcel,[16] la conmoción popular tomaba cada vez mayores proporciones. Por fin llegó la orden de sacar al reo.

Al aparecer éste bajo el arco de la puerta de la prisión, completamente vestido de todas las armas y cubierto el rostro por la visera, un prolongado murmullo[17] de sorpresa se elevó de entre las compactas masas del pueblo, que se abría con dificultad para dejarle paso.

VI

Todos habían reconocido en aquella armadura la del señor del Segre; aquella armadura objeto de las más sombrías tradiciones mientras se la vio suspendida de los arruinados muros del castillo maldito.

Las armas eran aquéllas, no cabía duda[1] alguna. Todos las habían visto en los combates contra su señor; todos las habían visto agitarse al soplo de la brisa del crepúsculo en el pilar en que quedaron colgadas a la muerte de su señor. Mas ¡ quién podía ser el desconocido personaje que entonces las llevaba! Pronto iba a saberse. Al menos, así se creía. Los sucesos dirán cómo esta esperanza quedó frustrada a la manera de otras muchas y por qué de este solemne acto de justicia, del que debía aguardarse el completo esclarecimiento[2] de la verdad, resultaron nuevas y más inexplicables confusiones.

El misterioso bandido penetró al fin en la sala del Consejo, y un silencio profundo sucedió a los rumores que se habían elevado entre los circunstantes[3] al notar la llegada del personaje. Uno de los que componían el tribunal, con la voz lenta e insegura, le preguntó su nombre, y todos prestaron oído con ansiedad para no perder una sola palabra de su respuesta; pero el guerrero se

[16]*cárcel f.* jail [17]*murmullo* murmur

[1]*no cabía duda* there was no doubt [2]*esclarecimiento* elucidation, clarification [3]*circunstantes m.* bystanders

limitó a encoger sus hombros[4] ligeramente, con un aire de desprecio e insulto que no pudo menos de irritar a sus jueces, los que se miraron sorprendidos.

Tres veces volvió a repetirse la pregunta, y otras tantas[5] obtuvo 5 semejante contestación.

—¡Que se levante la visera! ¡Que se descubra! ¡Que se descubra! —comenzaron a gritar los vecinos presentes.—¡Que se descubra! ¡Veremos si se atreve entonces a insultarnos con su desdén![6]

10 —Descubríos—le repitió el mismo que anteriormente le había dirigido la palabra.

El guerrero permaneció impasible.

—Os lo mando en nombre de nuestra autoridad.

La misma contestación.

15 —En el de los condes soberanos.

Ni por ésas.[7]

La indignación llegó hasta el punto de que uno de sus guardas, lanzándose sobre el reo, le abrió violentamente la visera. Un grito general de sorpresa se escapó del auditorio,[8] que permaneció por 20 un instante herido de un inconcebible[9] estupor.

La cosa no era para menos.[10] El casco estaba vacío . . . , completamente vacío.

Cuando pasado ya el primer momento de terror, quisieron tocarlo, la armadura se estremeció ligeramente y, descomponién-25 dose[11] en piezas, cayó al suelo con un ruido sordo y extraño.

La mayor parte de los espectadores, a la vista del nuevo prodigio, abandonaron tumultuosamente la habitación y salieron despavoridos a la plaza.

[4]*encoger sus hombros* to shrug his shoulders [5]*otras tantas* as many [6]*desdén m.* disdain, scorn [7]*ni por ésas* by no means, not at all [8]*auditorio* audience [9]*inconcebible* inconceivable [10]*no ser para menos* to be justified, warranted [11]*descomponerse* to fall *or* go to pieces

VII

La noticia se divulgó[1] con la rapidez del pensamiento entre la multitud que aguardaba impaciente el resultado del juicio, y fue tal la alarma que ya a nadie cupo duda sobre lo que públicamente se aseguraba; esto es, que el diablo, a la muerte del señor del Segre, había heredado el castillo de Bellver. 5

Al fin se decidió volver a un calabozo la maravillosa armadura. Ya en él, se enviaron cuatro emisarios que, en representación del pueblo, notificasen el caso al conde de Urgel y al arzobispo,[2] los que no tardaron muchos días en volver con la resolución de estos personajes. 10

— Cuélguese — dijeron — la armadura en la plaza Mayor[3] del pueblo, que si el diablo la ocupa, fuerza le será[4] abandonarla o ahorcarse con ella.

Encantados los habitantes de Bellver con tan ingeniosa solución, volvieron a reunirse en consejo, y cuando ya la multitud ocupaba 15 la plaza, se mandó levantar una altísima horca[5] y se dirigieron a la cárcel por la armadura, con toda la solemnidad que la importancia del caso requería.[6]

Cuando la respetable comitiva[7] llegó a la cárcel, un hombre pálido y descompuesto[8] se arrojó al suelo en presencia de los 20 aturdidos[9] circunstantes, exclamando con lágrimas en los ojos:

— ¡ Perdón, señores, perdón !

— ¡ Perdón ! ¿ Para quién ? — dijeron algunos —. ¿ Para el diablo que habita dentro de la armadura del señor del Segre ?

— Para mí — dijo con voz trémula[10] el infeliz, en quien todos 25 reconocieron al carcelero.[11] — Para mí . . . Porque las armas . . . han desaparecido.

Al oír estas palabras, el asombro se pintó en el rostro de cuantos se encontraban allí, que, mudos e inmóviles, hubieran permanecido

[1]*divulgar* to spread, divulge [2]*arzobispo* archbishop [3]*plaza Mayor* main square [4]*fuerza le será* he will have to [5]*horca* gallows [6]*requerir* to require, need [7]*comitiva* procession, party [8]*descompuesto* upset, disturbed [9]*aturdido* bewildered, amazed, stunned [10]*trémulo* tremulous, quivering [11]*carcelero* jailer

en la posición en que se encontraban hasta Dios sabe cuándo si la siguiente relación del aterrado carcelero no los hubiera hecho agruparse en su alrededor[12] para escuchar con avidez.[13]

—Perdonadme, señores —decía el pobre carcelero—, y yo no
5 os ocultaré nada; ni siquiera sea en contra mía.[14]

Todos guardaron silencio, y él siguió así:

—Yo no sabré explicar la razón; pero es el caso que la historia de las armas vacías me pareció siempre una fábula tejida[15] en favor de algún noble personaje a quien tal vez altas razones de con-
10 veniencia pública no permitían ni descubrir ni castigar. En esta creencia estuve siempre, creencia en que no podía menos de confirmarse la inmovilidad en que se encontraban desde que por segunda vez volvieron a la cárcel traídas del Consejo. En vano una noche y otra, deseando sorprender su misterio, si misterio en
15 ellas había, me levantaba y aplicaba el oído en los intersticios de la cerrada puerta de su calabozo: ni un rumor se oía. En vano traté de observarlas a través de un pequeño agujero producido en el muro. Arrojados en el suelo, y en uno de los más oscuros rincones, permanecían un día y otro descompuestas e inmóviles. Una noche,
20 por fin, deseando convencerme por mí mismo de que aquel objeto de terror no tenía nada de misterioso, encendí una linterna,[16] bajé a las prisiones y, no cuidando siquiera (tanta era mi fe en que todo no pasaba de un cuento) de cerrar las puertas tras mí, penetré en el calabozo. Nunca lo hubiera hecho.[17] Apenas anduve algunos
25 pasos, la luz de mi linterna se apagó por sí sola y mis dientes comenzaron a chocar[18] y mis cabellos a erizarse.[19] Turbando el profundo silencio que me rodeaba, había oído como un ruido de hierros que se movían y chocaban al unirse entre las sombras. Mi primer movimiento fue arrojarme a la puerta para cerrar el paso;
30 pero al hacerlo sentí sobre mis hombros una mano formidable que, después de sacudirme con violencia, me derribó[20] al suelo. Allí permanecí hasta la mañana siguiente, en que me encontraron falto de sentido[21] y recordando sólo que después de mi caída había

[12]*en su alrededor* around him [13]*con avidez* eagerly [14]*en contra mía* against me [15]*tejido* (past part. of *tejer* to weave, create) [16]*linterna* lantern, lamp [17]*Nunca lo hubiera hecho.* I should never have done so [18]*chocar* to chatter, strike, clash [19]*erizarse* to stand on end [20]*derribar* to knock down [21]*falto de sentido* un-

creído percibir[22] confusamente como unas pisadas sonoras, que poco a poco se fueron alejando hasta perderse.

Cuando concluyó el carcelero, hubo un silencio profundo, al que siguió luego un infernal concierto de lamentaciones, gritos y amenazas. 5

Trabajo costó a los más pacíficos el contener al pueblo, que, furioso con la noticia, pedía a gritos la muerte del curioso autor de su nueva desgracia.

Al fin se logró apaciguar[23] el tumulto y comenzaron a disponerse a una nueva persecución. Esta obtuvo también un resultado satisfactorio. 10

Al cabo de algunos días, la armadura volvió a encontrarse en poder de sus perseguidores. Conocida la fórmula, y mediante la ayuda de San Bartolomé, la cosa no era ya muy difícil.

Pero aún quedaba algo por hacer, pues en vano, a fin de sujetarla,[24] la colgaron de una horca; en vano emplearon la más exquisita vigilancia con el objeto de quitarle toda ocasión de escaparse. En cuanto las desunidas armas veían dos dedos de luz se encajaban[25] y volvían a tomar el trote[26] y emprender de nuevo sus excursiones por montes y valles. Aquello era el cuento de nunca acabar.[27] 15 20

VIII

En tan angustiosa[1] situación, los vecinos se repartieron entre sí las piezas de la armadura, que acaso por centésima[2] vez se encontraba en sus manos, y rogaron al piadoso eremita[3] que un día los iluminó con sus consejos que decidiera lo que debía hacerse de ella. 25

El santo varón ordenó al pueblo una penitencia general. Se encerró por tres días en el fondo de la caverna en que vivía, y al

---

conscious [22]*percibir* to perceive [23]*apaciguar* to calm, pacify [24]*sujetar* to hold fast, subject, subdue [25]*encajarse* to come together, fit together [26]*tomar el trote* to run away [27]*cuento de nunca acabar* story that never comes to an end

[1]*angustioso* agonizing [2]*centésimo* hundredth [3]*eremita m.* hermit

cabo de ellos dispuso que se fundiesen[4] las diabólicas armas, y con ellas y algunos sillares[5] del castillo del Segre se levantase una cruz.

La operación se llevó a cabo, aunque no sin que nuevos y aterradores[6] prodigios llenasen de miedo el ánimo de los consternados 5 habitantes de Bellver.

Mientras las piezas arrojadas a las llamas comenzaban a enrojecerse,[7] largos y profundos gemidos parecían escaparse de la ancha hoguera,[8] de entre cuyos troncos saltaban como si estuvieran vivas y sintiesen la acción del fuego. Chispas rojas, verdes y azules 10 danzaban en las llamas, y se retorcían[9] crujiendo como si una legión de diablos pugnase[10] por libertar a su señor de aquel tormento.

Extraña, horrible fue la operación en tanto que la armadura perdía su forma para tomar la de una cruz. Los martillos[11] caían 15 resonando con espantoso ruido sobre el yunque,[12] al que veinte trabajadores vigorosos sujetaban las barras del hirviente[13] metal, que palpitaba y gemía al sentir los golpes.

Ya se extendían los brazos del signo de nuestra redención, ya comenzaba a formarse la cabecera,[14] cuando la diabólica y en-20 cendida masa se retorcía de nuevo como en una convulsión espantosa, y, rodeándose[15] a los cuerpos de los desgraciados que pugnaban por desasirse[16] de sus brazos de muerte, se enroscaba en anillas[17] como una culebra[18] o se contraía[19] en zigzag como un relámpago.

25 El constante trabajo, la fe, las oraciones y el agua bendita consiguieron, por fin, vencer al espíritu infernal, y la armadura se convirtió en cruz.

Esa cruz es la que hoy habéis visto, y a la cual se encuentra sujeto el diablo, que le presta su nombre. Ante ella, ni las jóvenes 30 colocan flores en el mes de mayo, ni los pastores se descubren al pasar, ni los ancianos se arrodillan.[20]

[4]*fundirse* to melt [5]*sillar m.* carved stone [6]*aterrador* terrifying [7]*enrojecerse* to turn red [8]*hoguera* bonfire, blaze [9]*retorcerse* to writhe, twist, squirm [10]*pugnar* to struggle, fight [11]*martillo* hammer [12]*yunque m.* anvil [13]*hirviente* boiling [14]*cabecera* upright piece [15]*rodearse* to surround, encircle [16]*desasirse* to disengage themselves [17]*enroscarse en anillas* to entwine oneself in rings [18]*culebra* snake [19]*contraerse* to contract [20]*arrodillarse* to kneel

Dios ha cerrado los oídos a cuantas oraciones se le dirijan en su presencia. En el invierno, los lobos[21] se reúnen en manadas[22] junto al árbol que la protege para lanzarse sobre las reses; los bandidos esperan a su sombra a los caminantes,[23] que entierran[24] a su pie después que los asesinan,[25] y cuando la tempestad se desata,[26] los rayos tuercen su camino para liarse,[27] silbando,[28] al asta[29] de esa cruz y romper los sillares de su pedestal.

—Adapted from the *leyenda*, "La cruz del Diablo," by Gustavo Adolfo Bécquer.

[21]*lobo* wolf [22]*manada* band, flock [23]*caminante m.* traveler [24]*enterrar* to bury [25]*asesinar* to murder [26]*desatarse* to break loose, unleash [27]*liarse* to wrap themselves [28]*silbar* to whistle [29]*asta* staff, upright piece

EJERCICIOS

I–II

(*pages 115–120*)

I. Translate these sentences, paying special attention to the italicized portions of each.

1. A la derecha del tortuoso sendero que conduce a este punto *se encuentra* una cruz. 2. ¿Tan desesperado está usted que, *no bastándole la ayuda de Dios*, busca también la del diablo? 3. Si delante de esa cruz le pide usted al cielo que le preste ayuda, las cumbres de los montes se levantarán en una sola noche hasta las estrellas invisibles, *y no encontraremos aquella frontera en toda nuestra vida.* 4. ¿Cree usted acaso que ésa es una cruz santa, como *la* de nuestra iglesia? 5. Durante este corto diálogo, nuestros camaradas, que habían picado sus caballos, *se nos reunieron* al pie de la cruz. 6. Yo les expliqué en breves palabras *lo que acababa de suceder.* 7. *Hace mucho tiempo*, mucho tiempo, yo no sé cuánto, pero los moros ocupaban aún la mayor parte de España, y se llamaban condes nuestros reyes cuando ocurrió lo que voy a referir a ustedes. 8. Renuncio a describir el efecto de esta desagradable sorpresa. *Ustedes se lo podrán figurar*, mejor que yo pintarlo, sólo con decirles que volvía reclamando sus antiguos derechos . . .

II. The following idioms appear in the text. Translate them; then use ten of them in Spanish sentences.

1. a la derecha 2. echar pie a tierra 3. descubrirse 4. en el fondo 5. de repente 6. volver la cara 7. pues bien 8. no poder menos de 9. de medio a medio 10. por eso 11. ¡vaya, vaya! 12. de la noche a la mañana

III. Relative Pronouns. The commonest relative pronoun is, of course, *que*, which is used as subject or object of the verb in the relative clause, and refers to a specific antecedent. As object of a preposition in a relative clause, however, *el que*, *el cual* and *quien* (referring to persons) are found. In nonrestrictive relative clauses (set off by commas from the rest of the sentence), *lo cual* is used when the antecedent is not a specific word but a clause or idea. The following examples are taken from the text of these chapters:

1. Bellver es una pequeña población situada a la falda de una colina, por detrás de *la cual* se ven elevarse las crestas de los Pirineos. 2. A la derecha del tortuoso sendero *que* conduce a este punto se encuentra una cruz. 3. Ideas ligerísimas sin forma determinada, *que* unían entre sí como un invisible hilo de luz, la profunda soledad de aquellos lugares, el alto silencio de la noche y la vaga melancolía de mi espíritu. 4. Era uno de nuestros guías naturales del país, *el cual*, con una indescriptible expresión de terror pintada en el rostro, trataba de arrastrarme consigo y cubrir mi cabeza con el sombrero *que* aún tenía en mis manos. 5. El pobre hombre, sin desistir de su empeño de alejarme de aquel sitio, contestó a ella con estas palabras, *que* entonces no pude comprender, pero en *las que* había un acento de verdad *que* me sobrecogió. 6. Sentados juntos al fuego, todos esperaban con impaciencia la historia de La cruz del Diablo, *que* como postres de la frugal cena *que* acabábamos de consumir se nos había prometido . . . 7. Quiso la suerte que este señor, a *quien* por su crueldad detestaban sus vasallos, y por sus malas cualidades ni el rey admitía en su corte, ni sus vecinos en el hogar, se aburriese de vivir solo con su mal humor y con sus ballesteros en lo alto de la roca. 8. Día y noche se dedicaba a buscar alguna distracción propia de su carácter, *lo cual* era bastante difícil después de haberse cansado, como ya lo estaba, de mover guerras a sus vecinos y ahorcar a sus súbditos.

IV. Cognates. Among the following words used in these chapters are some which are true cognates (i.e., both spelling and meaning coincide in Spanish and English) and others which resemble English words but differ in meaning. Give the exact meaning of each word:

1. soledad 2. oración 3. murmurar 4. natural 5. cólera 6. relación 7. distracción 8. sepulcro 9. realizar 10. ignorar

III–IV
(*pages 120–125*)

I. Translate these sentences, paying special attention to the italicized portions of each.

1. «Si alguno de vosotros se atreve a ser el primero mientras yo habite en el castillo del Segre, *que tome esa espada*, signo del poder.» 2. Entre nosotros, unos lo creen un extravagante; otros, un noble arruinado, y *no falta quien se encuentra convencido* de que es el mismo diablo en persona. 3. Congregados una noche bajo sus ruinosas arcadas, alrededor de una hoguera, comenzamos a disputar acaloradamente sobre *cuál de nosotros había de ser elegido jefe.* 4. *Cuanto queda repetido*, si se le despoja de esa parte de fantasía con que el miedo aumenta y completa sus creaciones favoritas, nada tiene *en sí* de sobrenatural y extraño. 5. Hallándome solo y sin recursos de ninguna clase, el diablo, sin duda, *debió de sugerirme la idea* de reunir algunos jóvenes que se encontraban en una situación idéntica a la mía. 6. Esto *se repitió* por tres o cuatro noches durante un mes, y los confusos aldeanos esperaban, inquietos, el resultado de todo aquello, que ciertamente *no se hizo aguardar* mucho.

II. The following idioms appear in the text. Translate them; then use ten of them in Spanish sentences.

1. alrededor de 2. dormirse 3. lo que faltaba por hacer 4. abrirse paso 5. dar fin con 6. en un abrir y cerrar de ojos 7. a propósito de 8. no pasar de 9. volver a 10. tomar cartas en 11. de día en día 12. en efecto 13. ya . . . ya 14. muy de tarde en tarde 15. servir de 16. he aquí 17. desde luego 18. en todo 19. poco más o menos 20. cada vez más

III. The Past Participle. This verb form, which regularly ends in *-ado* (first conjugation verbs) or *-ido* (second and third conjugation verbs), has two main uses: (a) with forms of *haber*, it forms the compound tenses (*he hablado*, *había hablado*, etc.), and (b) as an adjective. When used with *haber*, the participle is invariable in form; when used as an adjective it agrees in gender and number with the noun or pronoun which it modifies. Some past participles are irregular: *compuesto*, from *componer; visto*, from *ver*. Study the following examples of the past participle taken from the text.

1. Ya los *descuidados* centinelas habían *fijado* algunas veces sus ojos en el pueblo silencioso, y se habían *dormido* sin temor a una sorpresa, *apoyados* en sus lanzas, cuando de repente algunos aldeanos, *resueltos* a morir y *protegidos* por la sombra, comenzaron a subir la roca del Segre. 2. El fuego, *aplicado* al puente

se comunicó con la rapidez del relámpago a los muros, y los aldeanos, *favorecidos* por la confusión y abriéndose paso entre las llamas, dieron fin con los habitantes del castillo en un abrir y cerrar de ojos. 3. A través de sus anchas brechas, era fácil divisar, *colgada* de uno de los negros pilares de la sala, la armadura del *temido* jefe, cuyo cadáver, *cubierto* de sangre y polvo, yacía *confundido* con los de sus oscuros compañeros. 4. Si de aquí no hubiera *pasado* la cosa, nada se habría *perdido*. 5. Esto se repitió por tres o cuatro noches durante un mes, y los confusos aldeanos esperaban, inquietos, el resultado de todo aquello, que ciertamente no se hizo aguardar mucho, cuando tres o cuatro casas *incendiadas*, varias reses *desaparecidas* y los cadáveres de algunos viajeros pusieron en alarma a todo el territorio. 6. He aquí el enigma que todos querían explicar y que nadie podía resolver entonces, aunque se observase, desde luego, que la armadura del señor feudal había *desaparecido* del sitio que antes había *ocupado* y posteriormente varios labradores hubiesen *afirmado* que el capitán de aquella banda marchaba a su frente, *cubierto* con una que, si no era la misma, se le parecía en todo.

IV. Retell Chapters I–IV in your own words. Try to use the grammar constructions discussed in these chapters and as many of the idioms as possible.

V–VI

(*pages 125–128*)

I. Translate these sentences, paying special attention to the italicized portions of each.

1. El temido jefe no cesaba en sus desastrosas empresas, y *se le unían* constantemente nuevos discípulos. 2. Los infelices habitantes de la comarca no sabían *qué determinación debía tomarse* para concluir de una vez con aquel orden de cosas. 3. Se puso en práctica el proyecto, y su resultado *excedió a cuantas esperanzas se habían concebido*. 4. Todos aguardaban ansiosos la hora en que el reo *había de presentarse* ante sus improvisados jueces. 5. Como se ha dicho, *así en* la plaza Mayor *como en* las calles por donde el prisionero había de atravesar para dirigirse al punto en que sus jueces se encontraban, la impaciente multitud esperaba. 6. Mas *¿quién podía ser el desconocido*

personaje que entonces las llevaba! 7. Pronto *iba a saberse.* 8. El guerrero se limitó a encoger sus hombros ligeramente, con un aire de desprecio e insulto *que no pudo menos de irritar* a sus jueces. 9. Tres veces *volvió a repetirse la pregunta.* 10. — *¡Que se levante la visera!*

II. The following idioms appear in the text. Translate them; then use ten of them in Spanish sentences.

1. no cesar en 2. de una vez 3. debido a 4. por medio de 5. muy de cerca 6. atar corto 7. una vez allí 8. aprender de memoria 9. ponerse en práctica 10. contarse unos a otros 11. ellos mismos 12. tal como 13. a fin de 14. por fin 15. no cabía duda alguna 16. al menos 17. a la manera de 18. encoger sus hombros 19. prestar oído 20. dirigir la palabra

III. Demonstrative Adjectives and Pronouns. There are three demonstrative adjectives in Spanish: *este*, *ese*, and *aquel*. They correspond approximately to the first, second, and third persons respectively, with *este* designating what is near the speaker, *ese*, what is near the person addressed, and *aquel* what is remote from both speaker and person addressed. Demonstrative pronouns are identical in form but are written with the accent mark: *éste*, *ése*, and *aquél*. When a distinction between two antecedents is made, *éste* refers to the nearer (i.e., meaning *the latter*) and *aquél* to the more distant (i.e., meaning *the former*). Study the following examples taken from the text:

1. El autor de *estas* revelaciones murió con una sonrisa en los labios y sin arrepentirse de sus culpas. 2. Los infelices habitantes de la comarca, cada vez más desesperados, no sabían qué determinación debía tomarse para concluir de una vez con *aquel* orden de cosas. 3. *Este* venerable hombre . . . les aconsejó que se ocultasen durante la noche al pie del camino que sube por la roca . . . 4. Todos aguardaban ansiosos la hora en que el reo había de presentarse ante sus improvisados jueces. *Estos*, que estaban autorizados por los condes de Urgel para administrar por sí mismos pronta y severa justicia sobre *aquellos* malhechores, deliberaron un momento. 5. Por fin llegó la orden de sacar al reo. Al aparecer *éste* bajo el arco de la puerta de la prisión . . . un prolongado murmullo de sorpresa se elevó de entre las compactas masas del pueblo. 6. (There is a *fourth*

demonstrative *pronoun*, used before *de* and *que*, with the meaning of *that* or *the one*. It is the same in form as the definite article: *el, la, los, las:* el [hombre *understood*] que llegó primero; la [mujer *understood*] que llegó después; la [armadura *understood*] del señor del Segre, etc.) Todos habían reconocido en aquella armadura *la* del señor del Segre; *aquella* armadura objeto de las más sombrías tradiciones mientras se la vio suspendida de los arruinados muros del castillo maldito. 7. Las armas eran *aquéllas*, no cabía duda alguna. 8. Uno de *los* que componían el tribunal, con la voz lenta e insegura, le preguntó su nombre. 9. —Os lo mando en nombre de nuestra autoridad.— La misma contestación. —En *el* de los condes soberanos.— Ni por *ésas*.

VII–VIII

(*pages 129–133*)

I. Translate these sentences, paying special attention to the italicized portions of each.

1. Dios ha cerrado los oídos a *cuantas* oraciones se le dirijan en su presencia. 2. Los vecinos se repartieron entre sí las piezas de la armadura y rogaron al piadoso eremita que un día los iluminó con sus consejos *que decidiera lo que debía hacerse de ella.* 3. La operación *se llevó a cabo.* 4. Al fin *se logró apaciguar el tumulto.* 5. Pero aún *quedaba algo por hacer*, pues en vano, a fin de sujetarla, la colgaron de una horca. 6. Al oír estas palabras, *el asombro se pintó en el rostro de cuantos* se encontraban allí.

II. The following idioms appear in the text. Translate them; then use ten of them in Spanish sentences.

1. esto es 2. no tardar muchos días en 3. fuerza le será 4. ni siquiera 5. guardar silencio 6. tratar de 7. a través de 8. un día y otro 9. por fin 10. como un 11. cerrar el paso 12. falto de sentido 13. poco a poco 14. costar trabajo 15. a gritos 16. al cabo de algunos días 17. en cuanto 18. tomar el trote 19. de nuevo 20. convertirse en

III. Uses of *Haber*. The most frequent use of this verb is as an auxiliary in the formation of compound tenses: *he hablado*, I have spoken. It is also used to express "impersonal being," equivalent to the English *there* and a form of *to be: hay muchos.* And it appears as a modal auxiliary, expressing circumstantial obligation: *he de estar allí pronto,* I am to be there soon. Study the following examples, taken from the text.

1. Todos aguardaban ansiosos la hora en que el reo *había de* presentarse ante sus improvisados jueces. 2. —Para mí . . . Porque las armas . . . *han desaparecido.* 3. Al oír estas palabras, el asombro se pintó en el rostro de cuantos se encontraban allí, que, mudos e inmóviles, *hubieran permanecido* en la posición en que se encontraban hasta Dios sabe cuándo si la siguiente relación del aterrado carcelero no los *hubiera hecho* agruparse en su alrededor para escuchar con avidez. 4. En vano una noche y otra, deseando sorprender su misterio, si misterio en ellas *había,* me levantaba y aplicaba el oído en los intersticios de la cerrada puerta de su calabozo. 5. Nunca lo *hubiera hecho.* 6. Turbando el profundo silencio que me rodeaba, *había oído* como un ruido de hierros que se movían y chocaban al unirse entre las sombras 7. Cuando concluyó el carcelero, *hubo* un silencio profundo. 8. Esa cruz es la que hoy *habéis visto,* y a la cual se encuentra sujeto el diablo, que le presta su nombre.

IV. Retell Chapters V–VIII in your own words. Try to use the grammar constructions discussed in these chapters and as many of the idioms as possible.

VOCABULARY

The following words have been omitted from this vocabulary: easily recognizable cognates, (e.g., *animal, ambición,* etc.), days of the week and months of the year, the commonest prepositions, diminutives that have no unusual characteristics, proper names (which are, in most cases, footnoted in the text), superlatives, adverbs regularly formed when the adjective has been included, and ordinal numbers. Gender is not indicated for masculine nouns which end in *o* nor for feminine nouns which end in *a*. In all other cases gender is indicated by *m.* or *f.* standing for masculine or feminine respectively. The following abbreviations are used:

adj.	adjective	*part.*	participle
adv.	adverb	*pl.*	plural
dim.	diminutive	*prep.*	preposition
inf.	infinitive	*pron.*	pronoun

A

abandonar to neglect, abandon
abandono unconcern, abandonment
abatir to descend from the sky
abierto (*past part. of* **abrir**) open, opened
aborrecer to hate, detest
abrazar to embrace
abrir to open; **en un abrir y cerrar de ojos** in an instant, quickly
absurdo absurdity
abuela grandmother
aburrirse to be or become bored
acá here, around here; **desde Adán acá** since Adam's time
acabar to end, finish; **acababa de** *with inf.* had just; **acabar por** to end by
acaloradamente heatedly
acantilado cliff
acariciar to entertain, caress
acaso perhaps, maybe
acción *f.* action
acento accent, tone
aceptar to accept
acerca de about, concerning
acercarse to approach
acertado accurate, correct
acertar (ie) a to succeed in, manage
acomodarse to adjust
acompañar to accompany
acongojado afflicted, grieved
aconsejar to advise, counsel
acontecimiento event, occurrence
acordarse (ue) de to remember
acostar (ue) to put to bed; **acostarse** to go to bed, lie down
acostumbrarse to get used to, become accustomed to
actitud *f.* attitude
acudir to come, be present
acuerdo agreement; **de acuerdo** in agreement; **ponerse de acuerdo** reach agreement
acusar to accuse
adelantar to go ahead; **adelantarse** to come forward
adelante ahead, forward; **en adelante** in the future
además besides, moreover
adentro: hacia adentro inwardly
adhesión *f.* adhesion; **tomar gran adhesión** to become very devoted
adiós goodbye
adivinar to guess
admitir to admit
adonde where
adoptar to adopt; **adoptar el partido** to make up (one's) mind
adorar to adore
adquirir (ie, i) to acquire
adquisición *f.* acquisition, purchase
adular to flatter
advertencia warning
advertir (ie, i) to notice, warn
afición *f.* affection, fondness, taste, inclination
aficionado a fond of
afincarse to settle down
afirmación *f.* affirmation, statement
afirmar to affirm, state
afrentar to affront, insult
ágil agile
agilidad *f.* agility
agolparse to crowd
agradar to please
agregar to add
agricultor agricultural
agrio sour, disagreeable
agrupar to group

agua water
aguardar to await, wait for
aguardiente *m.* an alcoholic beverage of inferior quality
agudo sharp
agüero augury, prediction
águila *f.* eagle
agujero hole
ahí there, over there
ahogar to choke
ahora now
ahorcar to hang
aire *m.* air; **por los aires** in (through) the air
aislamiento isolation
ajedrez *m.* chess
ajeno other people's
ala wing
alargado long
alba dawn
albergarse to lodge, take shelter
alcance *m.* reach, range
alcoba bedroom
aldea village
aldeano villager
alegar to adduce, affirm, allege
alegrarse to be glad
alegre glad, happy
alegría gladness, joy, happiness
alejar to remove to a distance, move away; **alejarse** to recede
alemán, -a German
algo something; (*adv.*) somewhat, rather; **algo de** a little, a bit of
algún, alguno some, any; (*pron.*) someone; **alguno que otro** some other
alienista psychiatric
aliento breath
alma soul, heart
alojar to lodge; **alojarse** to take lodgings, lodge
alquilar to rent
alrededor around; **alrededor de** around; **en su alrededor** around him; *pl.* environs, outskirts
alterarse to become upset
altivez *f.* haughtiness
altivo pround, haughty
alto tall, high, late (*of hours*); **de alto** high; (*noun*) height
altura height, elevation
alucinación *f.* hallucination
alumbrar to light up, illuminate
alusión *f.* allusion
allí there; **desde allí en adelante** from then on
ama mistress
amable amiable, friendly
amanecer to dawn
amante lover
amar to love
amargamente bitterly
amargura bitterness
ambicioso ambitious
ambiguo ambiguous
ambos both
amenaza threat
amenazador, -a threatening
amenazar to threaten
amigo friend
amistad *f.* friendship
amo master
amor *m.* love; **al amor de** close to
amoroso loving
amputar to amputate, cut off
anciano, -a old person
ancho broad, wide
andadas: volver a las andadas to go back to one's old tricks, start all over
andaluz, -a Andalusian, native to the region in southern Spain called Andalusia
andar to walk
andróminas del Código de honor tricks in the honor code
anguloso angular, sharp
angustia anguish, affliction
angustioso agonizing
ánimo spirit, soul, mind
anoche last night
ansiedad *f.* anxiety
ansioso anxious, eager
ante before, in the presence of
antecedentes *m.* background; **poner en antecedentes** inform
anteojos eyeglasses
anterior previous
antes de before (*time*)
anticuario antique dealer
antigüedad *f.* antique
antiguo old, ancient; former
antojarse to have a notion to, fancy, seem
anunciar to announce
añadir to add
añejo old
año year; **tenía poco más de tres años** he was a little over three years old
apaciguar to calm, pacify
apagar to extinguish, quench, go out
aparato apparatus
aparecer to appear
apariencia appearance
apartado distant, remote
apartar to remove, take away; **apartarse** to move away, withdraw
apasionado impassioned
apelar to appeal

apellido last name, family name
apenas hardly, scarcely; **apenas si** hardly
apetito appetite; **abrirse el apetito a uno** to get hungry
aplastar to crush
aplicar to apply, use
apoderarse de to take possession of
apodo nickname
apoyar to lean, rest, support; **apoyarse** to be based on, rest on
apreciar to appreciate
aprendiz, -a apprentice
apretar to squeeze, hold tight; **apretarse las manos** to clasp hands
aprovechar to profit by, make use of
apurar to drain, consume, finish off
apuro difficulty, problem
aquí here; **de por aquí** nearby
árbol *m.* tree
arco arch
ardiente ardent, burning
arena sand
arma weapon, arm
armada fleet
armadura armor
armar to arm, dress in armor
armonioso harmonious
arquitectónico architectural
arrancar to tear away
arrastrar to carry off, drag
arrebatar to carry off, snatch away
arreglar to arrange; **arreglárselas** to arrange things
arrepentirse de (**ie, i**) to repent
arriba up, upward, above; **hacia arriba** in an upward direction
arribar to arrive
arrodillarse to kneel
arrojar to hurl, throw
arruga wrinkle
arruinar to ruin
arrullar to lull, soothe
arzobispo archbishop
asaltar to attack, assault, assail
asco disgust
asegurar to assert, assure
asentir (**ie. i**) to agree
asesinar to murder
asesinato murder
así so, thus; **así como** as well as; **así . . . como** both . . . and
asiento seat
asignar to assign
asistir a to be present, participate; **hallarse asistido** to be inspired
asomar to appear; **asomarse** to look out of
asombrarse to be astonished
asombro astonishment, surprise
áspero rough, harsh
asta staff, vertical shaft of a cross
asunto affair, matter
asustar to scare, frighten
atacar to attack
atajar to stop, cut short
atalaya lookout, watchtower
atalayero watchman in a watchtower
ataque *m.* attack
atar to tie; **atar corto** to bring up short
atención *f.* attention; **en atención a** in view of, because of
atender (**ie**) to take care of
atentamente attentively, with care
aterrado terrified
aterrador, -a frightening, terrifying
atleta *m.* athlete
atractivo attractiveness, charm
atraer to attract
atrás behind
atravesar (**ie**) to go across, pierce
atreverse a to dare to
atrevido bold
atribuir to ascribe, impute, attribute
atributo attribute
atrocidad *f.* atrocity
aturdido bewildered, amazed, stunned
audaz bold
auditorio audience
aullido howl
aumentar to increase, augment
aún yet, still
aunque although, even if, even though
ausencia absence
autor *m.* author
autoridad *f.* authority
autoritario authoritarian, high-handed
autorizar to authorize
avanzar to advance
aventura adventure
aventurar to venture, advance; **aventurarse a** to venture
aventurero adventurer; (*adj.*) adventurous
averiguar to find out, ascertain
avidez *f.* eagerness
avisar to notify
avivar to quicken, revive
ayuda help, aid
ayuntamiento city government
azul blue

B

bahía bay
bailar to dance
bajar to go down, descend, bring or take down

bajo under, below; **por lo bajo** in an undertone
balancearse to sway, rock
balazo bullet wound
balbucear to stammer
balcón *m.* balcony
ballestero archer, crossbowman
banco bench, table, settee
banda band, group
bandido bandit
bando flock
bañar to bathe
barbaridad *f.* barbarous deed, atrocity, cruelty
bárbaro barbarous, rude, savage
barco boat, vessel, ship
barrera barrier
barrio neighborhood, district, quarter
bastante enough, rather
bastar to be enough, suffice
batalla battle
baúl trunk
beber to drink
belga Belgian
belleza beauty
bello beautiful
bendito blessed, holy
besar, to kiss
beso kiss
Biblia Bible
biblioteca library
bien well
bienestar *m.* well-being, comfort
bigote *m.* mustache
biznieto great-grandson
blanco white
blanquear to whiten
blasfemia blasphemy, oath
blasón: de blasón titled
bobada foolishness
boca mouth; **de boca en boca** from mouth to mouth; **vaso por boca** a glass for each
bocado mouthful
boda wedding
bola ball
bondadoso kind
bonito pretty, nice
bordar to embroider
borde *m.* edge
borrar to remove, erase
bosque *m.* forest, woods
bota boot
bote *m.* small boat
botella bottle
botellazo blow struck with a bottle
bravo brave, manly, fine
brazo arm
brecha breach, opening
breve brief, short
brevedad *f.* brevity, concision
brillar to shine
brisa breeze
britanizar to make or become British
broma joke
brujería witchcraft
brujo, -a sorcerer, witch
brumoso hazy
bruto rough, brutish, brutal
bueno good, kind, well
buey *m.* ox
bulto parcel, package, form
burlarse to scoff at, make fun (of)
burlonamente jokingly
busca search
buscador, -a searcher; (*adj.*) searching
buscar to look for, search

C

caballero gentleman
caballo horse
cabecera head of a bed, upright piece of a cross
cabello hair
caber to fit; **no cabe tal orgullo** there is no room for such pride; **no cabía duda alguna** there was no doubt at all
cabeza head
cabo tip; **al cabo** after all; **llevar a cabo** to carry out, complete
cada each, every
cadáver *m.* corpse, cadaver
caer to fall
café *m.* coffee
caída fall
caja box, case
calabozo prison, jail
calcular to calculate, reckon
cálculo calculation
calentar (ie) to warm, heat
calmante *m.* sedative
calor heat
calvo bald
callarse to be silent, keep quiet
calle *f.* street
cama bed
cambiar to change, exchange
cambio change; **en cambio** on the other hand
caminante *m.* traveler
caminar to walk
camino road, way
campana bell
campo country, countryside
canalla *m.* scoundrel
canción *f.* song
cano gray (*of hair*)
cansarse to get tired
cantar to sing; *m.* song

cántaro pitcher
cantidad *f.* quantity
cañón *m.* gun barrel
capataz *m.* foreman
capaz able, capable
capitán *m.* captain
capítulo chapter, meeting
capricho whim, caprice, fancy
captar to capture
cara face
carácter *m.* character
carcajada outburst of laughter, guffaw
cárcel *f.* jail
carcelero jailer
cargamento shipload, cargo
cargar to load, carry
cariño affection, love
cariñoso affectionate
carne *f.* meat, flesh
caro dear, expensive
carrera career
carretera road, highway
carro cart
carta letter, card; **tomar cartas en** to take a hand in
casa house; **de casa en casa** from house to house
casamiento marriage
casarse (con) to get married
casco helmet
caserío group of houses
caserón *m.* big old house
casi almost
caso case, event; **el caso es** the fact is; **hacer caso de** pay attention to
castaño chestnut-colored; **negro castaño** dark brown
castellano Castilian, pertaining to Castile, a region in central Spain
castigar to punish
castillo castle
catarro head cold
caudal *m.* wealth, sum
causa cause; **a causa de** because of, on account of
causar to cause
cautela caution
cautiva female captive
cautivador, -a captivating
cavilación *f.* preoccupation, worry
ceder to yield, give up
célebre famous
celos jealousy; **dar celos** to make jealous
celoso jealous
cena supper
cenar to have supper
ceniza ash
centésimo hundredth
centinela *m.* sentinel
ceñir (i) to surround
cerca near; **cerca de** (*prep.*) near; **muy de cerca** at close hand
cercanía environs, vicinity
certidumbre *f.* certainty
cerrar (ie) to close; **noche cerrada** dark night
cesar (de) to cease, stop
ciego blind
cielo sky, heaven
cien hundred
cierto certain, a certain; **de cierto** of fact or truth
cima top, peak
cínicamente cynically
cinismo cynicism
circunstante *m.* bystander
cirujano surgeon
cita engagement, appointment
ciudadano citizen
claridad *f.* clarity
claro clear, bright, light, obvious; (*exclamation*) of course
clase *f.* kind, class; **de ninguna clase** of any kind
claustro cloister
clavo nail; **dar en el clavo** to hit the mark
clérigo clergyman, cleric
cobarde cowardly; *m.* coward
cocina kitchen
coche *m.* coach, carriage
cochero coachman
coger to take hold of, take, catch, seize
coleccionar to collect
coleccionista *m.* collector
cólera anger
colgado (de) hanging
colgar (ue) to hang
colina hill
colmar to fill, to give *or* provide in abundance
colmo height
colocar to place, put
colorado blushing
comarca district
comedor *m.* dining room
comentar to comment on, discuss
comentario commentary
comenzar (ie) to begin, start
comer to eat
cometer to commit
comida dinner, meal, food
comitiva group, procession
como since, as
¿ cómo ? how? why? what?; **¿ cómo que no ?** why not?
compadecer to pity
compañero companion
compañía company

comparar to compare
comparecer to show up, appear
complacerse to take pleasure
complejo complicated
complicar to complicate
componer to compose, make up
comprador *m.* buyer
comprar to buy
comprender to understand, comprehend
comprobar (ue) to ascertain, make sure
comprometer to compromise, engage; **comprometido con** engaged to
compromiso engagement
concebir (i) to conceive
concernir (ie) to concern
concertar to arrange
conciencia conscience
concierto concert
concluir (por) to end, end up
condado county
conde *m.* count; *pl.* count and countess
condesa countess
condezuelo silly count
conducir to lead, conduct
conejo rabbit
confesar to confess
confianza confidence
confiar to confide, trust; **confiado (en)** confident
confirmar to confirm
conformarse (con) to be satisfied
conforme a according to
confundir to mix, jumble
confusamente confusedly
congoja pain, suffering
congratularse to rejoice
conjunto whole; **en conjunto** as a whole
conmover (ue) to move, stir, touch; **conmoverse** to be moved, touched
conocedor *m.* connoisseur
conocer to know, meet
conocido acquaintance
conocimiento knowledge, acquaintance
conque so, so then
conquistador *m.* conqueror
conquistar to conquer
consciente conscious
conseguir (i) to obtain, get, succeed; **maldito lo que ha conseguido** he hasn't succeeded the least bit
consejo council, counsel
consentimiento consent, agreement
consentir (ie, i) to consent, agree
conserje *m.* janitor, concierge
considerar to consider
consolar (ue) to console, comfort
constar de to consist of
consternar to terrify, strike with horror *or* amazement
constituir to constitute, make
construir to construct, build
consuelo consolation
consumir to consume
contar (ue) to tell, relate, count
contemplar to look at, contemplate
contener to contain
contenido content(s)
contentamiento contentment
contento contented, contentedly, happily
contestación *f.* answer
contestar to answer
continuar to continue
contra against; **en contra mía** against me
contraer(se) to contract
contrario contrary; **de lo contrario** otherwise
contribuir to contribute
convencer to convince
convenir to agree upon
convertir (ie, i) to change, convert; **convertirse en** to become, turn into
convidar to invite
copa glass
coqueta coquette, flirt
coquetear to flirt
corazón *m.* heart
coronar to crown
corsario corsair, privateer
cortante cutting
cortar to cut
corte *f.* court, Madrid
cortejar to court, make love to
corto short
corregir (i) to correct
correr to run; **correr países** to travel to countries
correría raid, escapade
corriente ordinary, common
cosa thing; **cosa así** about that, approximately, more or less
costa coast; cost
costar (ue) to cost
costoso expensive, costly
costumbre *f.* custom
cotarro de maledicencia slander group
crecer to grow
creencia belief
creer to believe, think
crepúsculo twilight
cresta summit
criada servant
criado servant
criar to bring up, raise
criatura child
crimen *m.* crime
cristiano Christian
criticar to criticize
crónica chronicle, history
crucifijo crucifix

crujir to crackle, creak; *m.* crackling, creaking
cruz *f.* cross
cruzar to cross
cuadra stable
cuadrado square
cuadro picture, painting
¿ cuál ? which, which one; **a cuál de los dos** (who knows) which of the two
cuál which; **a cuál más** vied with each other in being (*with* **ser**)
cualidad *f.* quality
cualquier any
cuando when; **de cuando en cuando** from time to time
cuantioso abundant, large
cuanto as much as, all that; **cuanto más se puede** as much as possible; **en cuanto** as soon as; **en cuanto a** as for; **unos cuantos** some, a few
cuánto how much; how long
cuarto room
cubrir to cover
cucaracha cockroach
cuello neck
cuenta bill, account; **darse cuenta** to realize; **hacer cuenta** to consider, reckon; **tener cuenta con** be careful about; **tener cuentas con** to have to do with
cuento story; **cuento de nunca acabar** story that never comes to an end
cuerpo body
cuesta slope
cuestión *f.* question, matter, affair
cueva cave
cuidado care; **cuidado con** be careful not to; **dar cuidado** to bother, worry; **tener a uno sin cuidado** not to bother
cuidar (de) to take care of; **cuidarse** to take care of oneself
culebra snake
culpa guilt; **tener culpa** to be guilty
culto cultivated, educated
cumbre *f.* top, summit
cumplir to fulfill, complete; **cumplir . . . años** to be . . . years old
cuna cradle, crib
cura *m.* priest; *f.* cure; **poner en cura** to begin to cure
curación *f.* cure
curar to heal, comfort
curiosidad *f.* curiosity
cuyo whose, which

CH

chaqueta jacket
charlar to talk, chat
chico small; *m.* boy; **de chico** as a boy; *f.* girl
chimenea chimney, fireplace
chispa spark
chocar to chatter, strike, clash

D

danzar to dance
dar to give, cause, strike; **dar a** to face, overlook; **dar con** to find, strike; **dar en** to happen to; **dar . . . por** to consider; **dar por lo trágico** to take things tragically; **dar que hablar** to talk about *or* be talked about; **darse por realizado** to be considered a fact
deber to owe, must; **deber de** must (*inference*)
debido a due to
débil weak
debilitante weakening, debilitating
decidir to decide
decir to say, tell; **es decir** that is to say, in other words
decisión *f.* decision, decisiveness
decreto decree, law
dedicar to dedicate, devote; **dedicarse (a)** to devote oneself
dedo finger; **dos dedos de** a bit of
deducir to deduce, infer
defender (ie) to defend
dehesa ranch
dejar to leave, let, allow; **dejar de** to stop, fail to
dejo touch
delante before, ahead, in front; **delante de** before, in front of
delicadeza delicacy
demarcar to mark out, stake out
demás other, rest of; **los demás** the rest, the others
demasiado too, too much
denunciar to denounce
depender (de) to depend (on)
dependiente *m.* employee, clerk
derecha right hand, right side, right
derecho right, law
derramar to spill, shed
derribar to knock down
desacreditar to discredit
desafiador, -a menacing, challenging
desagradable disagreeable
desahogar to alleviate, relieve
desamarrar to unmoor, untie
desaparecer to disappear
desarrollar to develop, explain, expound
desaseo slovenliness
desasirse to disengage oneself
desastroso disastrous
desatarse to break loose, unleash

descansar to rest
descender to descend, go down
descendiente *m.* descendant
descolgarse to descend, let oneself down
descomponerse to fall *or* go to pieces
descompuesto upset, disturbed
desconfianza distrust, suspicion
desconfiar to be suspicious
desconocido unknown
descontento discontented; (*noun*) displeasure, discontent; discontented person
descubrimiento discovery
descubrir to discover, reveal; **descubrirse** to take off one's hat
descuidado careless, negligent, unworrying
desde since, from, after; **desde que** since
desdén *m.* scorn, disdain
desdichado wretch, unfortunate person
desdoblar to unfold
desear to want, wish, desire
desembarcar to disembark
desembarco landing
desencadenar to unleash, begin
desenfrenado loose, unbridled
desenganchar to unhitch
desentenderse (**ie**) (**de**) to get out of
desesperación *f.* despair
desesperado desperate; (*noun*) desperate person
desfiladero defile, pass
desgajar to break off, tear off
desgracia misfortune; **por desgracia** unfortunately
desgraciado wretched, unhappy; (*noun*) unhappy person
deshabitado uninhabited
deshecho fainted
desheredar to disinherit
desierto deserted
designio design, intention
desistir (**de**) to give up, abandon
desmentir (**ie, i**) to belie
desnudar to strip, lay bare, uncover; **desnudarse** (**de**) to strip off, take off
desnudo naked, bare
despacio slowly, for a longer time
despachar to send away
despacho office
despavorido frightened
despedir (**i**) to dismiss, discharge, fire; **despedirse** (**de**) to take leave (of), say goodbye (to)
despertar (**ie**) to awaken; **despertarse** to wake up
despiadado pitiless
despierto awake
despojar to strip, deprive of, remove
despojo remains
despreciable insignificant
despreciar to scorn
desprecio scorn
despreocupación *f.* lack of concern
después after, afterwards; **después de** after
destino destiny
destacarse to be outstanding, stand out
destructor, -a destructive, destroying
desunir to separate, disjoin
desventura misfortune, unhappiness
detalle *m.* detail
detener to detain, stop; **detenerse** to stop, halt
detrás behind; **detrás de** behind, in back of; **por detrás de** behind
deudor *m.* debtor
devorar to devour
devoto devotee
día *m.* day; **a los dos días** two days after; **de día en día** daily; **el otro día** the next day
diablo devil
diario daily; **para diario** for every day
dibujo drawing, sketch
dichoso happy
diente *m.* tooth
difícil difficult
dificultad *f.* difficulty
digno worthy
dinero money
Dios God
diosa goddess
dirección: en dirección a toward
dirigirse to address, go toward
discípulo follower, disciple
discurrir to reason, discourse
discutir to discuss, argue
disfrutar de to enjoy
disgusto annoyance
disimular to dissimulate, conceal
disparatado absurd, nonsensical
dispersarse to disperse
disponer to dispose, arrange; **disponerse a** to get ready
dispuesto ready, prepared, disposed
distinguir to distinguish, single out, make out
distinto distinct, different
distraer to distract, divert, amuse
divertir (**ie, i**) to amuse
divisar to perceive, make out
divisorio dividing; **línea divisoria** boundary
divulgar to spread, divulge
doblar to bend, turn
docena dozen
doler (**ue**) to ache, hurt, pain
dolor *m.* pain, grief, sorrow

dolorido painful, sore
dominar to dominate, control
dominio dominion, control
donde where
dorado golden, blond
dormir (ue, u) to sleep; **dormirse** to go to sleep
dosis *f.* dose
duda doubt; **sin duda** doubtless
dudar to doubt, hesitate
dueño master, owner
dulce sweet, pleasant
durante during
durar to last, endure
duro hard, harsh; (*noun*) Spanish coin worth five pesetas

E

ebrio drunk
eco echo
echar to throw, throw out, dismiss, begin to run; **echar pie a tierra** to dismount; **echarse** to put on, get involved with; **echarse a** to burst out; **echárselas de** to claim to be, boast of being
edad *f.* age
efectivamente in point of fact
efecto effect; **en efecto** in fact
efectuarse to take place
eje *m.* axle
ejemplar exemplary, model
elegir (i) to choose, select
elevarse to rise
embarcadero wharf, pier
embarcar to embark, ship
embargo: sin embargo however, nevertheless
embate *m.* sudden fierce attack
embuste *m.* lie, fib
empeñarse en to insist on
empeño desire, determination
empeorar to grow worse
empezar (ie) a to begin to
empleado employee
emplear to use, employ
emprender to undertake, engage in, start; **emprenderla a trompada y a patada limpias** to fight with plain punches and kicks
empresa undertaking
enamoramiento love
enamorarse de to fall in love with
encajarse to come *or* fit together
encantar to enchant, delight
encanto enchantment, charm, delight
encapotar to become *or* make overcast (*of the sky*)
encaramarse to climb; climb up
encargar to order; **encargarse de** to undertake, take charge of
encender (ie) to light
encerrar (ie) to lock up, shut up, confine; **encerrarse con** to shut oneself up in privacy with
encima on top, above, on; **por encima de** above
encinta pregnant
encomendar (ie) entrust; **encomendarse** to put oneself in the hands of
encomienda message
encontradizo: hacerse el encontradizo to pretend just to be passing by
encontrar (ue) to find, meet; **encontrarse** to be, find oneself
encubrir to conceal, cover up
encuentro meeting; **a su encuentro** toward him
enemigo enemy
enemistad *f.* enmity
enérgico energetic
enfermedad *f.* sickness, illness
enfermo sick, ill
enfrente de in front of, opposite
enganchar to hitch, couple
engañar to deceive, fool; **engañarse** to be mistaken
enjugar to dry
enloquecer to become insane, go mad
enorme enormous
enredarse to get entangled *or* involved, to have affairs
enredo entanglement
enrojecerse to turn red
enroscarse: enroscarse en anillas to entwine oneself in rings
ensancharse to widen
ensayo essay
enseñar to show
entender (ie) to understand; **dar a entender** to let . . . know
entendido expert; (*excl.*) of course
enterarse to find out about
entero whole, complete, strong
enterrar (ie) to bury
entonar to sing
entonces then; **desde entonces** from then on; **por entonces** around that time
entrada entrance
entrañas inmost recesses, being
entrar to enter
entre . . . y together
entregar to deliver, hand over; **entregarse (a)** to abandon oneself (to)
entremés *m.* entertainment
entretenido entertaining
entrevista interview
entristecerse to become sad

entusiasmarse to become enthusiastic
entusiasmo enthusiasm
enviar to send
envidia envy
envidiar to envy
época epoch, time
equinoccio equinox
equivocarse to be mistaken
eremita *m.* hermit
erizarse to stand on end
ermita hermitage
esbelto slender, well built
escalera stairway
escándalo scandal
escapar to escape, run away; **escaparse** to escape
escaso slight
escena scene
esclarecimiento elucidation, clarification
esclava slave
escoba broom
escoger to choose, select
esconder to hide, conceal
escondrijo hiding place
escopeta shotgun
escuadra fleet, squadron
escuchar to listen to, hear
escudo shield
ése: ¿ a mí con ésas ? do that to me?; **ni por ésas** by no means, not at all
esfuerzo effort
espada sword
espalda back, shoulder
espantar to frighten
espantoso frightful
español Spanish; *m.* Spaniard
esparcir to scatter, spread
especie *f.* species, kind
espectador *m.* spectator
especular to speculate
esperanza hope
esperar to hope, wait, expect
espeso thick, heavy
espiar to spy on
espionaje *m.* spying
espíritu *m.* spirit, soul
espléndido splendid
esquina corner
establecerse to settle
estado state, condition
estallar to explode, break
estallido explosion, outburst
estampa print (*art*)
estancia room, stay
estar to be; **estar de** to serve as
estatura stature
este east
estilo style
estorbar to disturb, be in the way
estrechar to tighten up
estrecho narrow
estrella star, destiny
estremecerse to shake, tremble
estropearse to damage, ruin, spoil oneself
estuario estuary (*of a river*)
estudiar to study; **estudiar para** to study to be
estudio study
estupidez *f.* stupidity
estúpido stupid
estupor *m.* stupor, stupefaction, amazement
etéreo ethereal, heavenly
evitar to avoid, prevent
exacerbarse to grow worse
exactitud *f.* exactness, accuracy
exasperarse to become exasperated
exceder to exceed, go beyond
excitar to arouse
exclamar to exclaim
exhausto exhausted
exhibir to exhibit, show
exigencia demand
exigir to demand, require
existir to exist
expensas: a sus expensas at his expense
experimentar to experience
explicación *f.* explanation
explicar to explain
explotación *f.* exploitation, working
explotador, -a working, exploiting
explotar to exploit, work
expresión: sin expresión expressionless
extenderse (ie) to spread
extraer to take out, extract
extraño strange

F

fábrica factory, plant
fábula fable
fabuloso imagined, made up
facción *f.* facial feature
fácil easy, likely
facultad *f.* ability, faculty
falda slope, skirt
faldero: perro faldero lap-dog
falta lack, fault, shortcoming; **hacer falta** to be needed, necessary; **a falta de que** subject to
faltar to be lacking, be missing, need; to be unfaithful; **no faltaba más** that's all that's needed, of course (*ironic*); **lo que faltaba por hacer** what remained to be done
falto lacking; **falto de sentido** unconscious
familiar (*adj.*) family
fantasma *m.* ghost

fascinar to fascinate
fastidioso annoying, tiresome
fatigoso tiring, fatiguing
favorecer to help, favor
fe *f.* faith
fechoría crime
feliz happy, lucky
fenómeno phenomenon
ferocidad *f.* ferocity, act of ferocity
feroz ferocious, fierce
feudo fief
fidelidad *f.* faithfulness
fiel faithful
fiesta holiday, party
figura figure, face
figurarse to imagine
fijar to fix, establish, arrange
fijo fixed, set
fila line, row
filón *m.* vein, lode
fin *m.* end; **a fin de** in order to; **al fin** finally, at last; **dar fin con** to kill, put an end to; **por fin** finally
final *m.* end
fingimiento pretense, deceit
fingir to pretend, feign
fino fine, delicate
fisonomía looks, features
flaco thin
flojo weak
flor *f.* flower
fondo bottom, background, depths; **en el fondo** deep down, basically
formar to form
fortaleza fortress
forzar (ue) to force, force upon
fracaso failure
fraguar to forge, put together
francés, -a French
franja fringe, strip
frase *f.* phrase
frecuencia frequency
frecuentar to frequent
frenesí *m.* frenzy
frenéticamente frantically
frente *f.* forehead, brow; *m.* head, front; **frente a** in front of, opposite
fresco fresh
frío cold
frito fried
frontera frontier
frustrar to frustrate, defeat
fuego fire; **poner fuego** to set fire
fuente *f.* fountain, source
fuera de outside of; **fuera de sí** beside herself
fuerte strong, heavy, severe, harsh; *m.* fort
fuertemente strongly, securely
fuerza strength, force; **a fuerza de** by force of, by dint of; **fuerza le será** he will have to
fuga flight
fugar to flee
fumar to smoke
fundición *f.* melting, smelting
fundir to melt
furor *m.* rage, fury
fusilamiento shooting
fusilar to shoot

G

gallina hen; **siempre gallina, amarga la cocina** one gets tired of anything
gana desire; **de buena gana** willingly, gladly; **darle la gana** to feel like (doing something)
ganar to gain, win; **ganarse la vida** to earn one's living
gato, -a cat
gemido groan
género type, kind
gente *f.* people
gesto gesture, expression, attitude
girar to revolve, turn, rotate
gitano gypsy
golpe *m.* blow; **golpe de agua** wave
gordo fat, stout
gota drop
gótico Gothic
gozar (de) to enjoy
gracia grace, charm; **hacer gracia** to amuse; **gracias a** thanks to
grado degree
gran, grande great, large, grand, big
grato pleasing
graznido croaking, cawing
gris gray
gritar to cry out, shout, scream
grito shout, scream; **estar toda la noche en un grito** to scream all night long
grosero coarse, rough
grueso heavy, thick
gruñir to grunt, grumble
grupo group
guardar to guard, keep; protect
guardia guard
guerra war
guerrero warrior, soldier
guía *m.* guide
guiar to guide, drive
gustar to please, like
gusto pleasure

H

haber to have, to be; **haber de** to be to, have to; **había** there was, were; **a mí me había de hacer una mujer**

just imagine a woman's doing to me . . . ; **he aquí** here you have; **no he de quererte** of course I love you; **qué he de hacer** what do you expect me to do; **hay** there is, are; **hay que** it is necessary, one must; **lo que hay** the fact is
habilidad *f.* skill, cleverness
habitación *f.* room
habitante *m.* inhabitant
habitar to live
hablar to speak, talk
hablilla gossip
hacer to do, make; **hacer como** to pretend as; **hacerse** to become, acquire; **hacía años** years before; **hacía tiempo** some time before; **hacía un día de sol** it was a sunny day
hacia toward, in the direction of, about
hallar to find; **hallarse** to find oneself, to be
hansom-cab con capota covered cab, buggy
harén *m.* harem
hato bundle
haz *m.* heap, pile
hazaña deed, feat, exploit
hechizar to bewitch
hecho (*past part. of* **hacer**) done, made; **estar hecho a** to be used to; (*noun*) act, fact
henchir to fill
hendidura crevice
hercúleo herculean
heredar to inherit
heredero heir
herencia inheritance
herir (**ie, i**) to strike, wound
hermoso beautiful, handsome, good-looking
hermosura beauty
herrero blacksmith
hielo ice
hierro iron
hijo son; **hija** daughter; **hijos** children
hilo thread, sliver
hipócrita *m.* hypocrite
hirviente boiling
historia history, story
hogar *m.* home
hoguera bonfire, blaze
holandés *m.* Dutchman
hombre *m.* man; **hombre de carne y hueso** flesh-and-blood man, real man
hombro shoulder; **encoger hombros** to shrug one's shoulders
hondo deep
hondura depth
honra honor
honrar to honor
honroso honorable
horadar to pierce, perforate
horca gallows
horno oven
hórrido horrible
hueco hollow
hueso bone
huésped *m.* guest
huevo egg
huída flight
humear to smoke
humedad *f.* humidity, dampness
húmedo moist, humid, damp
humilde humble
humillar to humiliate
humor *m.* humor, mood; **estar de buen humor** to be in a good mood
humorista humorous
hundir to submerge; **hundirse** to sink, fall

I

ida going, departure
idioma *m.* language
iglesia church
ignorar not to know, to be ignorant of
igual equal, same, like; **igual que** just like
ilustre illustrious
impasible impassive
impedir (**i**) to prevent, impede
imponerse to dominate
importar to be important, matter
impresionar to impress
improvisado improvised, unofficial
improviso: de improviso unexpectedly
impulsar to impel
incapaz incapable
incendiar to burn, set on fire
incertidumbre *f.* uncertainty
incluso a including, even to
inconcebible inconceivable
incondicional unconditional, unquestioning
inconveniente *m.* obstacle, difficulty; **no tengo inconveniente** I don't mind; **no hay inconveniente** I'm willing
indeciso indecisive, undecided
indescriptible indescribable
indiano newly rich (*Spaniard who has returned from the New World, usually wealthy*)
indicar to indicate, say
indigno unworthy
índole *f.* nature
indudablemente certainly, indubitably
inesperado unexpected, unforeseen
infame infamous
infeliz unhappy, wretched

infierno hell; **infierno de pocas llamas** a small hell
informar to inform
infortunio misfortune
ingenio cleverness, skill
inglés, -a English
inmóvil motionless
inmovilidad *f.* immobility, immovability
inquietar to trouble, worry
inquieto anxious, worried, restless
inquietud *f.* restlessness, uneasiness
insaciable insatiable
inseguro insecure
insistir (en) to insist (on)
insoportable unbearable
inspeccionar to inspect, examine
instalarse to become settled
instar to urge
instinto instinct
intencionado: mal intencionado ill-disposed, unkind, mean
intentar to try, attempt
interesante interesting; **hacerse el interesante** to pretend to be exciting
interesar to interest; **interesarse por** to take an interest in
interioridad *f.* intimacy
interrogatorio questioning, cross-examination
interrumpir to interrupt
intersticio interstice, crevice, chink
intervenir to intervene, take part
intimidad *f.* intimacy, close friendship
intransigente intransigent, irreconcilable
inútil useless
inventar to invent, make up
invierno winter
invitar to invite
invocar to cite, invoke, use name of
ir to go; **vámonos** let's go; **vamos a** let us; **¿ qué le voy a hacer ?** what can I do about it?; **irle a uno** to suit; **irse** to go off, go away; **véte tú a saber** it's hard to know
ira ire, anger
irradiar to radiate
isla island
izar to hoist, raise
izquierdo left; **a la izquierda** on the left

J

jactarse to boast, brag
jamás never, ever
jefe *m.* leader, boss, chief
jornada day's journey
joven young; *noun* young man, young woman
joya jewel
júbilo joy
juez *m.* judge
juicio judgment, trial
juntarse to get together, unite
junto united, together; **junto a** close
juramento oath
jurar to swear
juventud *f.* youth
juzgar to judge; **a juzgar por** to judge from, by

K

kilómetro kilometer (about 0.62 miles)

L

labio lip
labrador *m.* farmer
lado side
ladrar to bark
lago lake
lágrima tear
lancha small boat, lighter, launch
lanza lance, spear, pole
lanzar to launch, hurl, throw; **lanzarse** to rush
largar to let go, expel; **largar con viento fresco** to kick out fast
largo long; **largo de** get out of
lástima pity
látigo whip
laúd *m.* lute
leal loyal
lectura reading
leer to read
legítimo legitimate, legal
leído (*past part. of* **leer**) literate
lejos far, distant; **lejos de** far from; **a lo lejos** in the distance
lengua tongue; **guardar la lengua** to keep quiet
lento slow
leona lioness
letra letter
levantar to raise, lift; **levantar las tapas de los sesos** to blow one's brains out; **levantarse** to rise, get up
ley *f.* law
leyenda legend
liar to tie, bind up; **liarse** to wrap oneself
liberar to free, set free
libertar to free, liberate
libre free
libro book
licor *m.* liquor, liquid
ligero slight, light, fast
limosna alms
limpiar to clean, wipe
limpio clean, pure

linterna lantern, lamp
lío bundle, connection, relationship
listo ready, clever
lobo wolf
loco mad, crazy, insane
locura madness, insanity
lograr to get, succeed in
lucir to shine, show off
lucha fight, struggle
luego then, after, next, soon, presently, immediately; **desde luego** at once; **hasta luego** so long (*in taking leave*); **luego de** after; **luego que** as soon as
lugar *m.* place; **en lugar de** instead of
luna moon
luz *f.* light

LL

llama flame
llamada call
llamar to knock, call; **llamarse** to be named, called
llamear to blaze, glow
llanura plain
llegada arrival
llegar to arrive; **llegar a** + *noun* to get to be . . . ; **llegar a** + *inf.* to get to, succeed in; **llegarse** to reach, approach; **llegarse a** to get to
llenar to fill; **llenarse (de)** to become filled (with)
lleno full; **de lleno** fully, completely
llevar to carry, take, wear; **llevarse a cabo** to complete
llorar to cry, weep
llover (ue) to rain
lluvia rain

M

madera wood
madre *f.* mother
madrugada early morning, dawn
magra slice of ham
majadero idiot
mal badly, bad, wrong; *m.* sickness; **de mal en peor** from bad to worse
maldecir to curse, damn
maldiciente *m.* slanderer
maldición *f.* curse
maldito damn, damned, cursed
maleta suitcase
malévolo malevolent, malignant, unkind
malhechor *m.* criminal, malefactor
malherido badly wounded
maligno evil, malignant
malo bad, ill
manada band, flock
manchar to stain
mandar to order, send
mandato order, command
manejar to handle, manage, wield
manera manner; **a la manera de** in the same way as
manicomio insane asylum
manifestar (ie) to indicate, state
maniobra maneuver
mano *f.* hand; **a la mano** at hand
mantener to maintain, keep
manto shawl, large mantilla
maña skill, habit, vice
mañana tomorrow, morning; **hasta mañana** goodbye, so long
maquinalmente mechanically
maquinar to plot, be up to
mar *m. or f.* sea
maravillar to astonish
maravilloso marvelous, wonderful
marcar to mark
marcha departure
marchar to go, proceed, function; **marcharse** to go away, go
marea tide
marido husband
marina navy
marinero (*noun*) seaman; (*adj.*) marine
marino (*noun*) seaman; (*adj.*) marine
mármol *m.* marble
martillo hammer
mas but
más more, most; **más bien** rather
matar to kill
mayor older, oldest; **misa mayor** high mass
mayoría majority
mecer to swing, rock
mechón *m.* lock of hair
mediados: de mediados de in the middle of
mediano average
medianoche midnight
mediante by means of
médico doctor
medida measure, step
medio half, middle, means; **de medio a medio** completely; **a la media hora** half an hour later; **por en medio** in the middle
medir (i) to measure
mejor better, best; **el mejor día** any day
memoria: aprender de memoria to memorize
menor less
menos less, least; **al menos** at least; **cuanto menos** the less; **por lo menos** at least; **no ser para menos** to be justified, warranted

mente *f.* mind
mentecato fool
mentir (ie, i) to lie
mentira lie
menudo small; **a menudo** often
merced a thanks to
mes *m.* month
mesa table, desk
meter to put, put in
metro meter
mezcla mixture
mezclar to mix
michino kitty
miedo fear; **tener miedo de** to be afraid of
mientras while; **mientras tanto** meanwhile
mil thousand
minero (*noun*) miner; (*adj.*) mining
mínimo: lo más mínimo in the least
minuciosamente very carefully
mirada glance, look, gaze
mirar to look at, watch
misa mass; **misa mayor** high mass
mismo same, own, very; **él mismo** he himself; **lo mismo que** just as, the same as; **por lo mismo** for that very reason
misterio mystery
misterioso mysterious
mitad *f.* half
mocita (*dim. of* **moza**) young thing
modo mode, manner, way; **de otro modo** otherwise; **de todos modos** at any rate
molestar to bother, annoy
mona female monkey
moneda coin
montaña mountain
montar to mount, ride
monte *m.* mountain
morir (se) (ue, u) to die
moro Moor
mortuorio mortuary
mostrar (ue) to show
mote *m.* nickname
motivo reason
mover(se) (ue) to move, cause
movimiento movement, motion
mozo boy, youth
muchacha girl
muchacho boy, young man
mucho much, a lot; *pl.* many
mudanza move, change
mudo silent, mute
mueble *m.* piece of furniture
mueca grimace
muelle *m.* wharf, pier
muerte *f.* death
muerto (*past part. of* **morir**) dead; (*noun*) corpse, dead man
mujer *f.* woman, wife
mundo world; **todo el mundo** everybody
muñeca wrist
murmullo murmur
muro wall
musculoso muscular
muy very, too, most

N

nacer to be born
naciente new born
nadie nobody, no one
naturaleza nature
navaja razor, knife
navegar to sail, navigate
neblina mist, fog
necedad *f.* foolishness
necesitar to need
negar (ie) to deny
negocio business, affair, deal
negro black, dark
nervioso nervous
ni neither, nor; **ni siquiera** not even
ninguno not, not any, neither, at all
niñez *f.* childhood
niño child, boy; *f.* girl; *pl.* children
no no, not; **no . . . más que** only
noche night; **de noche** at night; **de la noche a la mañana** suddenly; **por la noche** at night
nombrar to name, appoint
nombre *m.* name
notar to note, notice
noticia news, information
notificar to notify
novedad *f.* news, event, novelty
novelería fiction
novelesco novel-like
noviazgo engagement
novio boy friend, fiancé; *f.* girl friend, fiancée
nubarrón *m.* large threatening cloud
nube *f.* cloud
nuevo new, another; **nueva** news; **nuevamente** again; **de nuevo** again
número number
nunca never, ever

O

o or; **o . . . o** either . . . or
obedecer to obey
objeto object
obligar to obligate, force
obra work
obrero worker
observador observer, observing
observar to observe

obsesionado obsessed
obseso obsessed
obstante: no obstante nevertheless, however
obstinarse en to persist in
obtener to obtain
ocio leisure; idleness
ocultar(se) to hide, conceal
oculto hidden
ocupar to occupy; **ocuparse de** to pay attention to, be concerned with
ocurrir to occur, happpen
ofenderse to take offense
oficina office
ofrecer to offer
ogro ogre
oído ear; **prestar oído** to listen, pay attention
oír to hear, listen; **oír hablar** to hear talk about
ojo eye; **ojo con** beware of
ola wave
olor *m.* odor, smell
olvidar(se) to forget
oponerse a to oppose, resist
oración *f.* prayer
orden *f.* order, command
ordenar to order, command
ordinario: de ordinario usual
orgullo pride
orientarse to find one's bearings, know one's way about
orilla bank, shore, edge
oro gold
oscilar to oscillate, waver
oscuridad *f.* darkness
oscuro dark, obscure, unclear
ostentación: hacer ostentación to flaunt
otoño autumn
otro other, another

P

pabellón *m.* pavilion, building
padecer to suffer, endure
padre *m.* father; *pl.* parents
padrino godfather
pagar to pay, pay for
país *m.* country
palabra word, talk; **dirigir la palabra** to address
palidecer to turn pale
pálido pale
palo wood
paloma pigeon, dove
papel *m.* paper, role, part
par *m.* pair, couple
para: para con toward; **para que** in order that, so that
paradero whereabouts
parador *m.* inn
paraguas *m.* umbrella
paraje *m.* place, spot
paralizador, -a paralyzing
parar to stop
parecer to appear, seem, resemble; **parecerse a** to look like, resemble; **al parecer** apparently, evidently; **a lo que parece** evidently; **lo que a ti te parezca** whatever you like
parecido similar, like
pareja couple
pariente relative
parte *f.* part; **a ninguna parte** nowhere; **a todas partes** everywhere; **por otra parte** furthermore
particular *m.* private citizen
partida game, match
partidario partisan, supporter
partido: adoptar el partido to make up (one's) mind
partir to leave; **a partir de** from . . . on
pasar to happen, pass, spend; **pasar de** to go beyond; **no pasar de** to be only, not to go beyond; **pasar por** appear to be; **pasado mañana** the day after tomorrow; **¿qué le pasa?** what's the matter?
pasear(se) to walk, take a walk, stroll
paseo walk; **dar un paseo** to take a walk, stroll
paso footstep, step; **abrirse paso** to make one's way; **cerrar el paso** to block the way; **de paso** in passing; **salir del paso** to get out of the difficulty
pasto food
pastor *m.* shepherd
pata foot, leg
patio courtyard
patraña false story
patrón *m.* employer, boss
paz *f.* peace
pedazo piece; **hacerse pedazos** to be smashed to pieces
pedir (i) to ask for, order, request
pegar to beat
pelado bare
pelear to fight
peligro danger
peligroso dangerous
pelo hair
penetrante penetrating
penoso painful, laborious
pensamiento thought
pensar (ie) to think, intend; **pensar en** to think of
pensativo pensive, thoughtful
peña rock, boulder

peñasco large rock
pepita nugget
pequeño small, little
pequeñuelo little fellow
percatarse de to observe, notice, be aware of, figure out
percibir to perceive
perder (ie) to lose, miss
perdón *m.* pardon
perdonar to pardon, forgive
perecer to perish
periódico newspaper
permanecer to remain, stay
permiso permission
pero but
perro dog
persecución *f.* pursuit
perseguido *m.* pursuer
perseguir (i) to pursue
personal *m.* personnel
perspicacia perspicacity, sagacity
pertenecer to belong
pesado heavy
pesadumbre *f.* weight, heaviness
pesar to weigh; **a pesar de** in spite of
pescado fish
pescador *m.* fisherman
petición *f.* request
petulante insolent, egotistical
piadoso pious
picar to spur
pie *m.* foot; **dar con el pie** to kick; **en pie** up, on foot, awake
piedad *f.* piety
piedra stone
pierna leg
pieza piece
pingo rag
pintar to paint, depict
pintoresco picturesque
pisada footstep
piso floor; **piso bajo** ground floor
pitoche: ni a mí se me da un pitoche I don't care a bit
placer to please
placidez *f.* placidity, peacefulness
plata silver
playa beach
plaza square; **plaza mayor** main square
plenamente fully
plenitud *f.* fullness, plenitude
población *f.* town, village
pobre poor
poco little, few; (*adv.*) not very; **al poco** soon after; **dentro de poco** shortly; **a los pocos días** a few days later; **poco a poco** gradually
poder to be able, can; **como podía** as best he could; **ni contigo ni con tu padre se puede** both you and your father are impossible; **no poder menos de** not to be able to help; *m.* power
poderoso powerful
polvo dust
pomo pommel
poner to put, place; **ponerse** to put on; **ponerse a** + *inf.* to begin; **ponerse a la obra** to get to work; **ponerse en pie** to stand up; **ponérsele a uno la expresión** to become
por: por si in case
porque because, so that
porte *m.* behavior
porvenir *m.* future
posada inn
poseer to possess, own
posteriormente later
postres *m.* dessert
precio price
precipitadamente hastily
preferir (ie, i) to prefer
pregunta question; **hacer preguntas** to ask questions
preguntar to ask
prendero second-hand dealer
preocupación *f.* concern
preocupar to concern, worry
preparar to prepare
preparativo preparation
presidio prison
preso imprisoned, seized
presentarse to appear
preservativo remedy, protection
préstamo loan
prestar to lend; **prestar oídos** to listen; **prestarse a** to get ready to
presumir to presume
pretender to court, try to, pretend
pretendiente *m.* suitor
prevenir to warn, alert
primavera spring
primero first
primo, -a cousin; **primo, -a hermano, -a** first cousin
principio beginning, start; **al principio** at first; **dar principio** to begin; **en un principio** at first, at the beginning
prisa haste; **tener prisa** to be in a hurry
prisionero, -a prisoner
privar to deprive
probar to test, taste
procedencia origin, source
procurar to try
prodigio astonishing event
producir to produce
prohibir to prohibit, forbid
promesa promise
pronto quick, prompt, soon; **de pronto** suddenly

pronunciar to pronounce, utter
propiedad *f.* property
propio own
proponer to propose; **proponerse** to intend
propósito purpose; **a propósito** appropriate, fit; **a propósito de** a propos of
proseguir (i) to continue, go on, proceed
proteger to protect
provecho profit; **buen provecho te haga** I hope it does you good
provisto (*past part. of* **proveer**) provided
próximo adjacent
proyecto project, plan
prueba proof
pueblo town
puente *m.* bridge
puerta door
puerto port
pues why, well, for
pugnar to struggle, fight
pulcritud *f.* neatness, tidiness
punta headland, cape
punto point; **a punto de** to *or* on the point of; **en punto** on the dot
puñal *m.* dagger
puño fist
purgar to atone for, purge, purify

Q

¿ qué ?: ¿ a qué ? why
quebradura fracture
quebrantar to break
quedar(se) to remain, stay, to be left; **quedar a uno por** to have left to
queja complaint
quejarse to complain
quejido groan
querer to wish, want, desire, like, love; **quieras que no** in any case; **querer decir** to mean
quien who, whom, the one who
quinientos, -as five hundred
quitar to remove, take away; **quitarse** to take off, get out
quizás perhaps, maybe

R

rabiar to get mad, be furious
racimo cluster
ración *f.* ration, supply
ráfaga gust
raíz *f.* root; **cortar de raíz** to cut off at the roots
rama branch
rapidez *f.* rapidity, speed
rato period of time, while; **al poco rato** soon; **a ratos** occasionally
rayo ray, lightning flash
razón *f.* reason, right; **dar la razón** to prove right; **llevar razón** to be right; **tener razón** to be right
realizar to fulfill, carry out, accomplish
reanudar to resume, renew
rebaño flock, herd
recibir to receive
recién recently
recio strong, robust
reclamar to claim, demand
reclutar to recruit
recoger to pick up, get, gather
recomenzar (ie) to begin again
recóndito inner, inward
reconocer to recognize
reconocimiento examination, recognition
recordar (ue) to remember
recrearse to take pleasure
recuerdo memory, recollection
recurso resource
rechazar to reject, repulse
redención *f.* redemption
redentor, -a redeemer
redimir to redeem
redondo round, complete, absolute
reducir to reduce, limit
reduplicación *f.* doubling
referente a having to do with
referir (ie, i) to refer, tell, relate; **referirse a** to refer to
refriega fray, fight
regimiento regiment
registrar to search
regla rule, order; **en regla** formal
regodearse to enjoy, take pleasure
regresar to return, go back
regreso return
regular usual, normal
rehusar to refuse, decline
reír(se) to laugh
reja grate, grating
relación *f.* relation, relationship, narrative, tale
relacionar to relate
relámpago lightning flash
relatar to relate, tell
relato story
reloj *m.* clock, watch
remate: de remate utterly, hopelessly
renatense native of Renada
rencor *m.* rancor, animosity, grudge
rendido submissive
rendir (i) to surrender
renunciar to give up
reo criminal, culprit

repartir to distribute, divide, apportion
repente: de repente suddenly
repetir (i) to repeat
replicar to reply, answer
reportarse to control oneself
requerir (ie, i) to require, need, call for
res *f.* head of cattle, beast
resaltar to stand out, be evident
resbalarse to slip
resignarse a to resign oneself to
resistir to resist, endure; **resistirse** to resist, refuse
resolución *f.* decision
resonar (ue) to resound
respecto a with regard *or* respect to
respetable respectable
respeto respect, consideration
respirar to breathe, exhale
responder to answer, reply
respuesta reply, answer
restos remains
resucitar to resuscitate, revive
resuelto determined, resolved
resultado result
resultar to turn out, turn out to be, prove to be, result
retener to retain, hold
retirar(se) to withdraw, retire
retorcer(se) (ue) to writhe, twist, squirm
retrato portrait
reuma *m.* rheumatism
reunión *f.* meeting
reunir to unite, gather, assemble
revelar to reveal, show
revés: al revés on the contrary
rey *m.* king
rico rich
rienda rein
rincón *m.* corner
río river
riqueza wealth
risa laughter, laugh
robar to steal, rob, abduct
robustez *f.* robustness, hardiness
roca rock
rodear(se) to surround, encircle
rodilla knee; **de rodillas** kneeling, on one's knees
rogar (ue) to beg, request, entreat
rojizo reddish
rojo red
románico Romanesque
romper to break
ronda round
rondar to hang around, court, haunt, prowl around
ropa clothing, clothes
rostro face
roto (*past part. of* **romper**) broken
rubio blond, fair
rudo rough
rueda wheel
ruido noise
ruinoso ruined
rumbo direction
rumor *m.* sound
rutina routine

S

saber to know, find out
sabiduría wisdom
sabio wise
sacar to take out, get, take
sacerdocio priesthood
sacerdote *m.* priest
saciarse to grow tired
saco bag
sacudir to shake, shake off
sagrado sacred
sala sitting room, living room, parlor
salida exit, going out, mouth of a river
salir to go out, leave, come out, turn out; **salir bien** to turn out well; **salir con** to tell; **ya salió aquello** now that's come out
saltar to jump, leap
salto jump, leap
salud *f.* health
saludable healthful, healthy
saludar to greet
salvaje savage, wild
salvar to save, jump over, overcome
sanar to cure
sancionar to ratify
sangre *f.* blood
sangriento bloody
santidad *f.* saintliness
santo saint, holy
saquear to plunder, loot
satisfacer to satisfy
satisfecho (*past part. of* **satisfacer**) satisfied
secar to dry
seco dry
sed *f.* thirst
seguida: en seguida immediately
seguir (i) to follow, continue
según according to, as
segundo second
seguridad *f.* assurance, security
seguro safe, sure, certain
semejante like, similar
seminarista *m.* theological student
sencillo simple, plain
sendero path
seno breast, bosom

sentarse (ie) to sit down
sentido sense, feeling, meaning
sentimiento feeling
sentir (ie, i) to feel, perceive, hear, regret; **sentirse** to feel
señalar to point out, indicate
señor Mr., sir; **Señor** Jesus Christ
señora lady, Mrs., wife
señorial manorial, lordly
señoritingo (*contemptuous*) little gentleman
separar to separate
sepulcro tomb
ser to be; *m.* being; **fueran** whether; **fuese como fuese** no matter how, at all costs; **fuese por lo que fuera** whatever the reason was; **sea como sea** in whatever way; **ser de** belong to
serie *f.* series
seriedad *f.* seriousness
serio serious; **en serio** seriously
servir (i) to serve, be of use; **servir de** to serve as; **servirse** to deign, be pleased to, to make use of
si, if, whether, why
sí yes, indeed; **sí que** indeed
sidra cider
siempre always; **de siempre** usual; **siempre que** whenever
siglo century
significar to signify, mean
siguiente following
sílaba syllable
silbar to whistle
silencio: guardar silencio to be quiet, not to speak
silenciosamente silently
silvestre wild
silla saddle, chair
sillar *m.* carved stone
simpatía liking, friendliness
simpático likeable, pleasant, congenial
siniestro sinister
sino but, except, only; **sino que** but
sino *m.* destiny, fate
siquiera at least, even, although
sitio place, spot
soberano sovereign
soberbia pride
sobrar to be more than enough, to be left over, superfluous
sobrecoger to surprise, make apprehensive
sobrecogido (*past part. of* **sobrecoger**) intimidated, surprised
sobrenatural supernatural
sobrina niece
sobrino nephew
sociedad *f.* company, society
sol *m.* sun
solar *m.* empty lot
soledad *f.* solitude, loneliness
soler (ue) to be accustomed to, be in the habit of
solicitar to request, ask for
solo only, alone; **a solas** alone
sólo only
soltar (ue) to let go, let loose, unfasten
sollozar to sob
sollozo sob
sombra shadow, shade
sombrero hat
sombrío gloomy, taciturn
someter to subject, submit
son *m.* sound
sonante sounding, resounding
sonoro resounding, noisy
sonreír (i) to smile
sonriente smiling
sonrisa smile
soñar (ue) to dream
soñoliento sleepy
soplo gust, breath
sordo deaf, silent, muffled
sorprender to surprise
sorpresa surprise
súbdito subject
subir to go up, rise
subyugar to subjugate, conquer
suceder to happen, follow
suceso event, happening
sucesor, *m.* successor
sucio dirty
suelo floor, ground; **quedar por el suelo** to be ridiculed, held in little esteem
suelto loose, off
sueño sleep, dream; **en sueños** while dreaming
suerte *f.* luck
sufrir to suffer, undergo
sugerir (ie, i) to suggest
sugestionado under the spell of
suicidarse to commit suicide
sujetar to hold fast, subject, subdue
sujeto person, subject; (*adj.*) fastened, held down
sumisión *f.* submission
sumo very great, greatest
suponer to suppose, assume
suposición *f.* supposition, guess
supuesto (*past part. of* **suponer**) supposed; **por supuesto** of course
suprimir to suppress, eliminate, get rid of
suscribir to agree to
suspirar to sigh
susurrar to whisper, murmur

T

tabaco tobacco
taberna tavern, inn
tal such, such a, so; **tal como** just as; **¿ qué tal ?** how
también also, too, likewise
tampoco neither, not either
tanto so much, so many; **en tanto** meanwhile; **otros tantos** as many; **tanto . . . como** both . . . and; **un tanto** somewhat
tardar en to be late in, delay in, be slow
tarde late; *f.* afternoon, evening; **de tarde en tarde** rarely, at long intervals
taza cup
té *m.* tea; **té danzante** tea-dance
teatro theatre
técnico expert
tejado roof
tejer to weave, create
tema *m.* subject
temblar (ie) to tremble, quiver
temblor *m.* trembling
tembloroso trembling
temer to fear
temeroso fearful, afraid
temible dreadful, terrifying
temor *m.* fear, dread
tempestad *f.* storm
temporada period of time, season
temprano early
tenaz persistent, tenacious, stubborn
tender (ie) to stretch out, extend, tend
tener to have, hold, keep; **no tiene más que obedecer** he can't do anything but obey; **tener por** consider
teniente *m.* lieutenant
tenorio Don Juan
teñir (i) to dye, stain
tercero third
terminar to end, finish
término end
terreno ground, land
tertulia social gathering, party; **hacer tertulia** to keep company, gather for conversation
tesoro treasure
testamento will
testigo witness
tez *f.* complexion
tiempo time, weather; **al poco tiempo** in a short time, soon; **a un tiempo** at the same time; **de tiempo en tiempo** now and then; **en mis tiempos** in my day; **hace buen tiempo** the weather is good, fair
tiernamente tenderly
tierra land, earth, ground
timidez *f.* timidity
timón *m.* helm, rudder
tinieblas darkness
tipo type; **tener tipo de** to look like
tiranizar to tyrannize
tirano tyrant
tirar to throw
tiro shot; **matar a tiros** to shoot to death
título title
tocar to touch, play
todavía still, yet, even
todo all, every, whole, everything, any; **en todo** in every respect; **todo lo contrario** quite the opposite; **sobre todo** especially; **todo un hombre** a real man
tomar to take, drink
tontería foolishness, nonsense
tonto fool
torcer(se) (ue) to turn, twist, bend
tormenta storm, torture
tormento torture
torpe lewd, lascivious
tortuosidad *f.* twisting; *pl.* ups and downs
torre *f.* tower
tosco rough, crude
toser to cough
trabajar to work
trabajo work
traducir to translate, express
traer to bring, carry
tragar to swallow
trago swallow; **de un trago** in one swallow, gulp
traidor *m.* traitor
trampa bad debt
transcurrir to pass, elapse, go by (*of time*)
tras after, behind
trasladar to transfer
trasmitir to transmit, deliver
trasplantarse to move
trastornar to upset; **trastornarse** to become deranged
tratamiento treatment
tratar to treat, deal with; **tratarse** to get to know, have dealings with; **tratarse de** to be a question of, deal with; **tratar de** to try to
trato social relationship, behavior, friendship
través: a través de across, through
trémulo tremulous, quivering
trenza braid, tress
trillar to thrash, beat, torture
tripas belly
triste sad

triunfar to triumph, win
triunfo triumph, victory
tronco log
tropiezo stumble, slip
trote *m.* trot; **tomar el trote** to run away
trozo piece
turbar to disturb, upset
tutear to address familiarly with **tú**

U

último last, latest; **a última hora** at the last minute, finally; **por último** finally
único only, sole, unique
unir to join, unite
unos some
uso use
usurario usurious, very high
útil useful

V

vacilar to hesitate, vacillate
vacío empty
vagar to roam, wander
vago vague; (*noun*) bum, vagabond
valer to be worth; **valer la pena** to be worthwhile; **le valió a Margarita** brought to Margarita
valor *m.* courage, value
valle *m.* valley
varios several, a number of
varón *m.* man, male
vasco Basque, Basque language
vascuence *m.* Basque language
vaso glass, vase, vessel
vaya (*present subjunctive of* **ir**) **¡Vaya . . . !** What a . . . !
vecino neighbor, inhabitant
vegetar to vegetate, live calmly
vela sail, wakefulness; **en vela** awake
velada party, gathering
velero sailing ship
vello down, fuzz
vencer to conquer, overcome, defeat
vendaval *m.* strong wind from the sea
vender to sell
veneno poison
venenoso poisonous
venganza revenge
venida arrival, coming
venir to come; **te vendrá muy bien** will be good for you, will suit you; **venido a menos** decayed
venta sale
ventana window
ver to see; **ver con** to deal with
veras truth; **de veras** in truth, truly
verdad *f.* truth
verdadero true, real
verde green
vestido dress
vestigio vestige, remains
vestir (**i**) to dress; **vestirse** to get dressed
vez *f.* time, turn; **a la vez** at the same time; **a mi vez** in my turn; **a su vez** in turn; **a veces** sometimes; **cada vez más** more and more; **cada vez menos** less and less; **de una vez** once and for all; **en vez de** instead of; **tal vez** perhaps
viaje *m.* trip, journey
viajero traveler
vida life
viejo old
viento wind
vigilar to watch, watch over
vil base, vile
vino wine
visera visor
vislumbrar to catch a glimpse of
vista sight, vision, view; **a la vista de** in view of; **en vista de** in view of
visto: por lo visto evidently, apparently
viudo widower
vivienda dwelling, house
viviente living
vivir to live
volar (**ue**) to fly
voluntad *f.* will, determination, wish
voluntarioso willful
volver (**ue**) to come back, return, turn; **volver a** + *inf.* to . . . again; **volver en sí** to come to one's senses; **volverse** to turn, turn around, return, become; **volverse atrás** to back out; **volverse loco** to go mad
voz *f.* voice, word, report, rumor; **a grandes voces** with great shouts; **en voz baja** in low tones, in a whisper
vuelo flight
vuelta return; **dar la vuelta** to go around
vulgo populace, common people

Y

ya already, now, finally, at once, soon; **ya que** since; **ya . . . ya** now . . . now
yacer to lie
yerno son-in-law
yerto stiff, rigid
yunque *m.* anvil